# 日本造园

● 石胜造园所代表作品

ZOEN

[日]石胜造园所编委会　编

刘云俊　译

中国建筑工业出版社
中国轻工业出版社

# 目录

# 第1章——造园的抽象性

# 第 2 章——造园施工中的技术体系

# 前　言

■

庭园是梦想中的天堂在人世间的再现，造园指的就是创造这种美丽而又自然的天堂乐园的技术体系。作为一种体系，造园的设计和施工在严格遵循自然科学规律的同时，亦无一不打上时代的印记。

如此说来，庭园及其相关的造园技术似乎高不可攀，远离我们的日常生活。其实不然，上面的定义只是为了探究庭园的本质；而在现实生活中，我们应该记住，人人心里都有着对美好事物的憧憬，都具有创造人间乐园的能力。

即使是在东京人口稠密的小巷里，也能找到以造园方法创造的庭园空间。在不过一个榻榻咪宽的小巷的防火水缸中喂养着金鱼，手工制作的架子上摆着一盆一盆的鲜花……。这也是人间乐园的一角。

我们甚至还期待着，将各种各样的人间乐园都装在自己的衣袋里，装在自己的心中。

如何能把人们内心描绘的美不胜收的乐园变成让多数人可以欣赏的现实庭园，是造园家们的工作，也是他们的最大心愿。

为了实现我们心中的设想，就一定要与造园施工的技术人员和工匠们密切沟通。

现在，多数人认为，追求乐园的理想及其实现它的动力具有越来越多的社会性。造园空间作为再现自然，并加以艺术加工的一种重要门类，是包括住宅和商业设施在内的所有城市开发项目中不可或缺的。而且，其造园的质量和建设规模是土地开发者文化水平的标志。

这是一个让我们这些造园家感到自豪的造园时代。但是，当社会对造园的需要突然膨胀的时候，我们却要面对一个根本性的问题。那就是，娱乐场所兴盛期的到来。

长期以来，我们的活动范围总是局限在城市及其近郊这些人为加工程度很高的地块上，偶尔有一天会突然在脑海里闪现出那有多种生物栖息的自然环境。但当人们一旦真的置身于这样的环境中，该怎样承担起保护周围生态条件和自然景观的责任呢？在这样的生活环境中，人们不会感到寂寞和苦闷吗？自然条件下生物多样性的保护与具有社会属性的人的生活总是存在着二律背反的剧烈冲突。

娱乐旅游场所的大量兴建普及其给环境造成的影响，正成为全球范围内讨论的话题。作为讨论的结果之一，人们对被称为"五官生态学"的景观制造技术——造园抱有越来越大的期望。

围绕着娱乐旅游场所对环境保护方面的负面影响，城市也针对性地加强了对郊区自然地块的管理和监督，并成立了专门机构。亚洲金融危机的发生以及日本经济的萎靡不振，反而让人们清醒起来，重新问自己：什么才是人间的乐园。

正在来到的造园时代，向我们提出许许多多造园理念和造园技术方面的挑战。这些问题小到袖珍庭园的精妙，大到南北差距扩大的全球性话题，以及如何在构筑的庭园中，将生态学意义上的自然和文化意义上的自然与人类完全融合在一起……等等。

我们只能全力朝着这一目标努力，并在实际工作中接受社会的评判。除此之外，别无他途。

本书记载的只是20余年的造园工作的片断，远不能称其为造园史；不过，倒也全面地记录和诉说了一个长期在现场工作的人的苦闷和烦恼。如书中所披露的那样，对于造园现场中出现的各类课题，在力所能及的范围内，提出了自己对个案的处理对策，但错误和疏漏恐在所难免，尚望诸君批评指正。

然而，现实中，造园家本身都很少注意社会对造园工作的反映。栽上几株花木便称作"造园"，将形式稍加改变又成了所谓的"现代庭园"……，这样的例子比比皆是。造园的本质是需要造园家以敏锐的社会视角切入当代生活，赋予景观以鲜活的生命。做不到这一点，对于社会和造园家来说便是一场悲剧。

本书如果能有助于对造园家工作的多样性和工作方法的理解，并对他们从事的工作能给予一个公正的评价，我将感到荣幸之至。

石胜造园　董事社长　涌井史郎（雅之）

# 第1章⋯⋯
# 造园的抽象性

　　现在，普遍的看法是造园家过分看重庭园景观的具象意义。作为一个造园家，应该持有形而上学的哲学思想。造园家追求的最高境界是，应该关心生命、生物界、地球环境和人类社会，并对这些做细致入微的观察和思考，在这一基础上综合提炼出思考的结果，并以此作为景观创作的理念。

　　景观设计的早期阶段，是在想像中的乐园里将生命、生物、天上和人间凝缩，一旦人们发现了这样的意境便加以抽象，以庭园的形式加以构筑，造园技术就是在这种想像和实践的不断升华中发展起来的。

　　在第1章里，我们想一边追忆现代仿造的"海牙皇家庭园"的造园始末，一边阐述庭园景观的创作手法及其所表达的意义，以及造园家在其中所发挥的作用。

# 长崎市的"海牙皇家行宫庭园"

从行宫平台上望远处的码头，法兰西风格的建筑和庭园中的楠树

"海牙皇家行宫庭园"全景。行宫前是主园，其对面是前园，全部以湿地林木作屏障

从行宫平台轴线上望主园中的小溪和喷水池

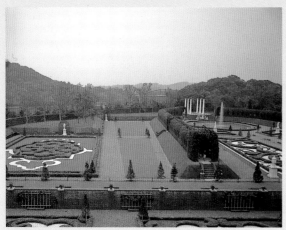

从行宫右侧望主园花坛

越过喷水池望行宫

雕塑《狩猎女神与小鹿》是园内的端
头，其背后修剪过的树篱是光叶石楠

透过蔓棚窗口看到的雕塑《赫拉神》

左侧庭园的花坛和对面的庭园剧场

主园中的花坛雕塑《赫米斯神》

右侧庭园中的花坛

阿波罗雕像身后的花坛

赫米斯雕像身后的花坛

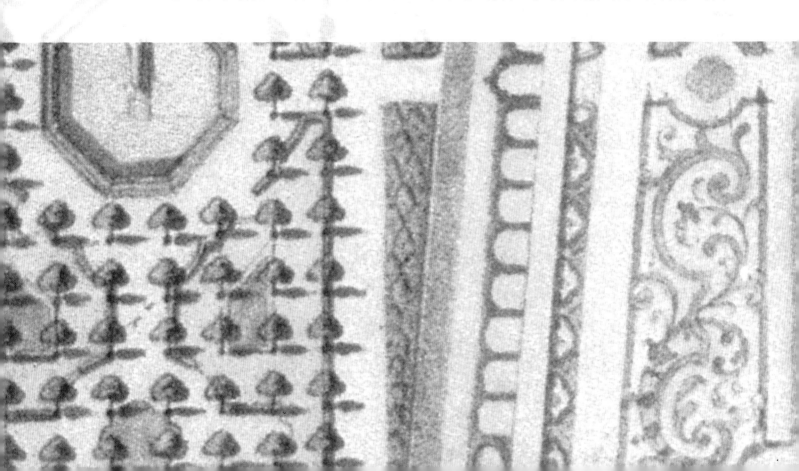

# 结识涌井君

**神近义邦**　〔皇家行宫庭园株式会社　董事社长〕

　　认识涌井君，还是1982年的事。当时，他的父亲曾对我说过"小儿是石胜造园所的社长，请多关照"这样的话。年仅36岁便当上社长，这会是一个什么样的年轻人呢？我不由得萌发出要结识他的兴趣。

　　当时，正值修建荷兰村的计划实施过程中，我们拟将荷兰村入口处的花木栽植和景观配置工程交给石胜造园所来做，为商讨合同事宜，涌井君应邀来到神田的办公室。

　　他最初的方案，与我的设想相去甚远，而且亦有些死板。如要将荷兰产的树木硬搬到荷兰村里来，在入口处立起一个大帆船模型，横向分成两截，表面是凸起的涂成二叶草颜色的"荷兰村"几个字。

　　我比较喜欢自然的固有形态，尽量少加雕饰。听着他的讲解，感到很不满意，心里不由地想到，一位城府颇深的父亲，怎会生下这样一个浅薄的儿子呢！我厉声说道：

　　"我不能把荷兰村的绿化工程交给你，请回罢。"

　　但是，涌井君并没有气馁。几天后，他又提出一个修建儿童游乐场的方案。这非常符合我的意思。此后的几年里，他始终为我们工作。当我正为皇家庭园应该建成什么样式犹疑不定，顺手翻阅着一本关于造园方面的书时，眼前出现一幅由达尼埃尔·

马洛在17世纪画的草图。它深深地吸引着我，同时脑海里也突然闪过要把这件工程交给涌井君的念头。

他从达尼埃尔·马洛的研究着手，大约过了半年左右，一天，突然把一份厚厚的设计书放在了我的办公桌上。设计书中的每一页都浸满着涌井君的心血，也明确地传达出他的设计理念。我确信，照这样的设计，一定会建成举世无双的庭园。

面对眼前的这堆图纸，我并未马上首肯，因为我本人对设计画图也十分爱好，说不定对已画好的图纸可以做些修改。可是，翻来复去也找不到一处能让我改动的地方。整个设计与地形完全吻合，从尺寸到规模以及立体感，没有一处不恰到好处。

造园业是一种调整人类生活和大自然关系的产业。作为承建者，并不是要设计有限的空间，而应该首先从构筑调和自然界与人造物关系的景观以及形成街区的城市基础做起。"造园"一词实际亦并不贴近，今后的造园业说不定也需要依靠宣传来拓展自己的市场。像涌井君这样的人，从地球的角度来考虑问题的话，也许会出现一个新的产业。

现在的日本，由于经济的萧条，大规模的开发计划都被搁置起来。但是，要不了5年，新的市场一定会发展扩大。目前，正是为此积蓄力量壮大自己的好时机。

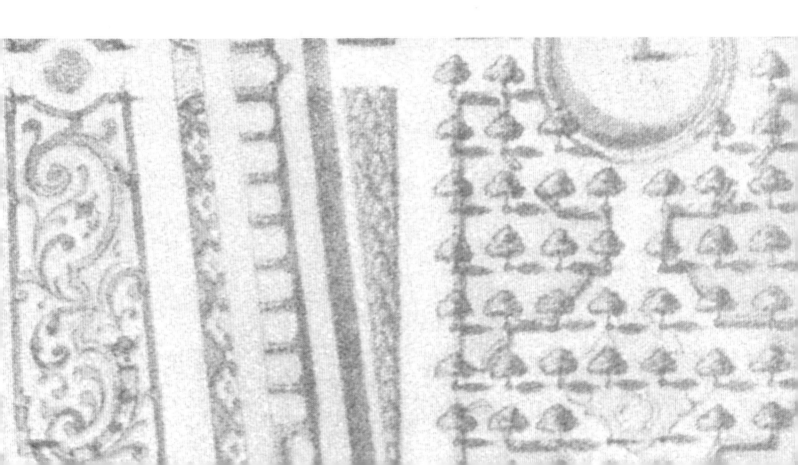

# 构建千年长存的庭园

●

## [涌井社长谈话]

### 缘分产生在荷兰村

早在 1976 年，我已经听到了神近义邦先生的名字。当时，先生是已故高桥高见先生麾下的启爱社董事不动产部长，正参与对公司整体业务的调整工作。

20 世纪 70 年代，由于"日本列岛改造论"大行其道，地价飞涨。当时在赤坂经营"一条"摊亭的高桥社长义母室谷秀女士在长崎县西彼町购买了一块土地，但一时又拿不定主意用来做什么，于是，找到神近先生征求意见。先生为室谷秀女士的诚意所感动，遂向她建议修建"一条绿园"，里面混合设置果园和动物园，并吸收西彼町退休的政府公务员进来工作。从此，开始了"一条"的旅游观光事业。然而，适逢第一次石油危机，"一条"举步维艰，惨淡经营。为了重建"一条"，在高桥社长的盛情邀请下，神近先生成了"一条"的专务。这是 1975 年 10 月的事。

"一条"时代的神近先生开始结识了许多长崎县出身的政治家和企业界知名人士。其中有"长崎汽车"的社长松田皓一和原"日本制工"顾问、现"日经联"常任理事今里广记等。不久，神近先生重振"一条"取得成功，被高桥社长提拔为启爱社的董事。

其间的某一天，神近先生萌生了要开发故乡西彼町的念头。作为启爱社的不动产部长，协助了世田谷涩泽寿一的公寓建设。涩泽先生毕业于东京农大，是近藤典一先生（进化生物学研究所理事长）的学生。

这时，"日本设计"的池田武邦社长登场了。他曾作为海军士官参加过冲绳海战，所乘的轻巡洋舰与"大和号"战列旗舰同时被击沉，他本人却奇迹般地返回到佐世保基地。池田先生后来在西彼町建了一座小屋，终日面对大村湾的海水，慢慢地平复因战争而造成的心灵上的创伤。

池田先生的伤痛的心被大村湾美丽的风光所触动，并引发了他作为一个建筑师的灵感，总觉得应该在这里构建些什么，并开始了游说过程。在这样的背景下，才有了 1979 年的某一天，神近先生与池田先生的第一次会面。而这次会面，却成了 10 年后建设荷兰村的契机。

神近先生在向东京发展的过程中成立的"绿色产业有限会社"（经营观光果园），是受了近藤先生的指点。这时，作为建筑师的池田先生也借助日本国土开发的大好时机，在不名一文的情况下，于 1979 年 12 月开创了"株式会社长崎生态公园"的事业。在这期间，已故的平井勇先生也提出："神近君，我们是不是应该在这里搞点实业什么的？"此时，"长崎荷兰村"的构想已经在神近先生的脑海中浮现。

正在这些人相互交流共同描绘蓝图时，还有一些人也介入其中，如日本国土开发创业者之一、我的父亲坂崎静马，以及松田和今里等人。从家父和近藤先生那里，我也知道了计划的始末和神近先生本人。

### 初识神近先生

1982 年 10 月，在神近的启爱社，我第一次拜访了神近先生，按我当时的理解，神近先生是要在长崎建一座地道的荷兰村。因此，在考察了荷兰的花木种类之后，我搞了一个采用荷兰进口材料的方案。正当我津津乐道地向他讲解自己的方案时，他突然脸色一变，厉声说道："坂崎君是一位出色的人，我很敬重，却没想到他的儿子如此笨拙。"一下子让我丈二和尚摸不着头脑，离开启爱社所在的那座破旧的办公楼后，我感到羞辱不堪。

乌得勒支郊外
布鲁克林的活动桥

荷兰·詹姆斯·斯堪斯城

后来我想了一下，神近先生的意思是：要把长崎荷兰村建成真实的景观，如果原封不动地把荷兰的景观照搬到日本的长崎来，说到底还是假的，没有人能做到把日本的某个地方变成荷兰的某个地方。与其将本是假的东西生硬地附以真实的形态，莫不如因地制宜，以适合现场特点的方式进行景观设计。

## 二访神近先生

承蒙佐藤广君的安排，我又一次拜访了神近先生，并向他提出了在长崎荷兰村的斜坡上修建儿童游乐场的建议。他当即表示赞同："很好，马上动手。"

这一次我才真正了解了神近先生，他既有坚定的信念，又有企业家的敏锐头脑，同时也让对方产生信任感，相信他是一个无所不能的人。他有时会在对部属交待任务时说："我不要求你早晨起床登上飞机，再把飞机上思考的问题立刻拿到工作中去。但是，必要时，你三天三夜不休息也得把结果给我送来。"他甚至直接插手图纸上的具体问题："嗯，概念是好的。不过，现在的荷兰恐怕不再采用这样的线条了吧？"如果你不能做出准确的回答，便会立刻被他赶出门去。也许，只有同神近先生这样的人多打几次交道，你才会对自己的实力有个全面的估计。而对于神近先生来说，他从来不看重过去与他的关系如何，而是一事一论。

少年时代的神近先生靠几分薄田种花出售，权作学资，度过相当长的一段艰苦岁月。他本人是一位画家，也是一位景观建筑设计师。荷兰在围海筑地的过程中，曾采用了各种生态技术，他们最能深刻了解自然界的博大宏伟、海潮的恐怖、土地的珍贵、水源和树木的重要。神近先生自少年时代起就听说过荷兰围海筑地的故事，并具有理解何为生态环境的能力。对于像我们这样的造园工作者来说，这是他的最大魅力所在。

## 从长崎的生态公园到皇家庭园

最初，不过是沿公路安置一些卖店和风车，以满足驾车兜风者的需要。后来，在对面又仿建了荷兰的古城"威廉姆斯堡"，接着相继构建了以干酪著名的观光地"詹姆斯·斯堪斯城"和"霍恩城"。在计划实施工程中，我们终日都面对一个个课题，倾注了大量精力。但有时神近先生仍然会出现在我们面前，说道："还有一个问题请诸位是否考虑一下。"事实上，在皇家庭园的话题刚一提出时，我们都认为不切实际。但是，当最终完成"生态公园"、"长崎荷兰村"和"皇家庭园"这一系列项目之后，我们不能不心悦诚服：神近先生不仅是一位企业家，也是一位创意大师。同时，他也被看作是一位像成吉思汗那样不断拓展自己疆土的人。而我们只不过

是跟在他开辟的事业后面亦步亦趋。神近先生的梦想没有仅仅以梦想结束，它们都在现实中一一得到展现。

在多次的讨论中产生的重大效果以及对双方产生的积极影响，推动了事业的发展。1987年，日本制定了娱乐法，1988年8月，在石胜造园所内成立了长崎项目组。1988年10月，开始进行土壤改良和试验栽种等环境绿化方面的土木工程。当时概算的总投入是2500亿日元。

## 建造生态城和"海牙皇家庭园"

"海牙皇家庭园"不仅仅是一座主题公园。主题公园往往被看作是城市建设中的润滑剂，最终要实现的目标，是要建成一座生态城市。所谓"千年永存"指的就是这个。

这里的地块，原本是大村湾和针尾工业团地的原址，因此不仅要作为一种形态存在，而且还要与海水和填埋地共生共荣。基于这一点，我们的设想是要修一条运河，运河的护岸不使用混凝土。

大村湾一带的常绿阔叶树林原本是一处美丽的景观，但在填海筑地过程中却被砍伐殆尽。因此，至少应该在这里重新营造林木，再造一座绿荫浓郁的森林。为此，必须改良土壤，形成可让土壤中海水、雨水和其他地

建在乌得勒支郊外布鲁克林运河边的别墅

下水相互融合的机制。而且，还得考虑怎样从戏水和绿荫这两个主题的角度来构筑作为形态标志的景观。

方案设计中出现许多要解决的课题。如，为了让这里能表现出"移动"的主题，景观展开的顺序应该怎样排列，应该引进的景观和应该排除的景观如何掌握标准等等，不一而足。我们采取的相应对策是，在周边地区栽种过渡性树木，建成一个缓冲带，然后不断将人们的注意力引向中心地带的景观。园中的道路铺设和走向也充分考虑到让游人视线下移，将视线聚焦在醒目的景观配置上。除此以外，园中各种建筑物和设施在造型和色彩上也完全景观化，并与环境相融合。

过去，只是依据两个主题构建出简单的建筑，作为一种基础设施，似乎已无再加以设计的必要，尽管对此我们总是感到很不满足。从中世纪开始直至近代，欧洲大陆上建在城墙里的城市中都是没有绿地的，绿地都在城外，被称为"猎场"。后来，在拆除城墙后的原址上，修建了绿地散步道，但只有上流阶层的人才能涉足。直至1890年以后，才出现了"国民绿地"那样的市民也可进入的公园。从对这段历史演变的考察中，我们也都知道，即使原封不动地保持城堡景观的原貌也无可厚非。有时，我们也在想，有什么地方可以更全面地展示我们的构想呢？能不能在某个场所构筑一种抽象化的景观呢？最终我们注意到，"海牙皇家庭园"就是这样的项目。恐怕连神近先生本人也不会想到，今天的皇家庭园被建成一座德国式的风景庭园。

## 从达尼埃尔·马洛的梦幻庭园中想到的

从长崎荷兰村的经验出发，我主张将皇家庭园建成一座户外美术馆。如果认真地考证庭园的起源，它绝不仅仅是建筑的附属物，而是发挥着户外美术馆的功能。为了建造这样的庭园，我们把根据达尼埃尔·马洛的梦幻庭园搞出来的设计书摆在了神近先生的案头。他反复地翻看着，最终表示首肯。不久，这个方案经过神近先生绘声绘色地描述，则变得越发鲜活和生动。

说起为什么会对达尼埃尔·马洛的庭园构想感兴趣，则要提到20世纪80年代后半期日本在国际上的贸易摩擦。当时的世界舆论都认为日本是"卡塔戈"，这本来指的是古罗马时期的典故，意即输出国的巨大贸易顺差使自己变得越来越富，却让输入国越来越穷。但这确实给我以一定的启发。

因为，荷兰也曾有过日本后来的境遇。在英国的帮助下独立后，反而使英国的利益受损，并通过对外贸易攫取了大量财富，遭到列强的嫉恨。结果引发战争，并被打败，不久便沦落为二等小国。产生在这样历史背景中的马洛的庭园，最终随着荷兰的衰落而化做泡影。日本如果只是一味地考虑自身的繁荣，也一定会像历史上的"卡塔戈"和荷兰一样被世界所抛弃。妒嫉和眼红是纷争和战争的重要起因。因遭嫉恨最终没有实现的达尼埃尔·马洛的庭园，现在却坐落在日本的国土上。我们试图通过这座梦幻中庭园的出现，能使日本冷静地思考"卡塔戈"和荷兰的教训。这也是我们的初衷之一。

## 时代感与雕塑

工程难度很大。其一是时代感的问题。经常要在现场考虑，该做到何种程度才能赶上皇家庭园的预定开园时间，应把哪个项目放到前面来实施才不会影响后面的进度。这座庭园中最重要的部位是绿廊，在那里显露出大地之神赫亚的半身像。在欧洲，一般是先以铁框成形，再在铁框上被覆仙毛榉木；但在日本应该采用什么材料，还得认真探讨一下。日本庭园一般都保留树木的自然形态，但在西洋庭园里的树木都被修剪成各种形状。树篱迷宫就是其中有代表的例子。

第二点就是雕塑的重要性。雕塑不是庭园的附属物，通过摆放在庭园里的神像，能让参观者了解当时标志欧洲人教养程度的拉丁语和希腊神话，如同庭园中的解说和向导。因此，庭园里的神像创作应该有很高的水准，但又不可能购入原物，那不但价格极高，而且也难以得手。为了能造出成本不甚高、又与原物相近的神

海牙皇家庭园开园时笔者与神近先生合影

像，我们向意大利派出一个调查小组，去找作家弗兰克·切尔贝特。选择这位作家的原因是，他了解卡腊腊城所有一流的工匠，这里有历代相传的店铺，店铺中保存着许多原始石膏模型，同时他们还能够向我们供应优质的石料。

由达芬奇和贝鲁里尼创作的石刻，如果没有原始的石膏模型的话，是无法复原的。意大利的雕塑，笼统地讲是出于文艺复兴时期，但同样的作品在文艺复兴的早、中、晚期也各有不同的表现形式。因此，到底应该选择哪个时代的作品，那是颇费踌躇的。

### 面向未来的成就感

我们每个人都有机会享受成功的喜悦。长崎的绿化屋、造园屋、东京的材料店以及子公司的能工巧匠们，凡是参与这项工程的有关人员都为自己能为工程尽力而感到自豪。即使是那些专门负责在东京采购材料的人，也要亲自到现场来，参加一些诸如除杂草之类的劳动。许多不知名的工匠们都抱着各自的美学观来这里一试身手。20年后，年轻一代的工匠也许会对人们骄傲地说，这座皇家庭园就是他们的父辈建造的。

敝公司当时的员工，现分别供职于东京分公司和九州分公司的辻冈敬和山奇博司君，此前一直为城市景观中未能采纳他们的理念而遗憾，但皇家庭园的建设，使他们的夙愿得以实现。

我想，把造园内涵的深刻哲学概念作为知识来学习的大有人在，但能有幸去亲身体会的人并不多。造园的真髓是必须要在实践中才会感受到的。平日里人们从事的多是一种技术性的工作，通过对自然的分析，加上人的经营和管理，来满足各种各样品质上的要求。然而，很少有人做这样的工作，即将自己创造的原型，原封不动地交给后代，再永远地传承下去。不仅仅是建造某个设施，而是要构筑一个世代相传的庭园，这不是每个人都有机会的，既然有了这样难得的机遇，在实施过程中出现的成功和失败，苦恼和喜悦都被置之度外。取而代之的是一种面向未来的成就感。

### 关于留下的缺憾

工程完成后，给公司带来了自豪感和知名度。坦率地说，海牙皇家庭园尚存在一些不足之处。我确信，按照我们的造园技术完全可以做得更完美一些。当然，不试一试是不知道的。我们真地想再做一次，使其尽善尽美。

与皇家庭园有关的人士现在又在谈论着庭园的软件问题，其实大家都很清楚，仁者见仁，智者见智，对于类似的城市景观该如何构成，人们永远也不会有一个统一的标准。

### 自由地制定灵活的计划

现在是一个看不清造园家方向的时代，造园家正在失去自信。在其工作领域骤然扩展的今天，一边涉足于城市景观建设和娱乐观光业，一边在想，我到底是从事什么职业的呢？思来想去，还是得归结到造园业上来。然而造园业中的从业者却如一片散沙，画1/5000图纸的人画不了1/50的图纸，施工者和咨询顾问完全脱节。我想，造园家最终应该在技术和艺术的基础上统一起来。这种凝聚力也来源于哲学的信念。从这个意义上说，神近先生才称得起是真正的造园家，他具有把一切有才干的人都吸引到自己身边的力量。此外，如池田先生也是一位出类拔萃的人。

在皇家庭园的施工中，我个人起到的作用只有三点：一是自由地进行生态配置；二是制定包括时间和空间在内的三维计划；三是自由地制定灵活的计划。

### 长崎海牙皇家庭园是一个张弛有度的项目

说起来，整个项目的参与者就像一支管弦乐队。在大家合奏时，不能突出自己的乐音，彼此之间必须绝对开诚相见。当然，这并不意味着无原则的妥协，较高的透明度是建立在相互协作的基础上的。不仅要使自己这把小提琴奏响，而且在控制音量的同时，还要融入乐队的整体演奏中去。一旦轮到自己独奏时，又必须胜过任何人。只要指挥棒一挥，乐队立刻奏响。在这样复杂的项目中，时时处处都要体现出造园家的意志。要靠他来对乐队指挥和协调。在这里，神近义邦是作曲家，池田武邦是指挥，涌井史郎则是首席小提琴。

长崎海牙皇家庭园的景观创造就是这样一个项目。一个所谓景观十年、风景百年、风情千年，让你对时光的流逝重新感悟的项目。

# 长崎"海牙皇家庭园"
## ——建造梦幻中的庭园

翻阅有关海牙行宫历史的记载

## [ Ⅰ ]荷兰·海牙行宫及其时代背景

### 它的诞生和变迁

　　1645 年，阿玛丽雅王妃在海牙领地的森林中，为自己和丈夫弗雷德里克·赫里国王建造了一座避暑别墅。坐落在海牙同一领地内的霍塞拉斯丘克城堡和特尔奴波庄园后来因城市人口急剧膨胀而被占用，并越来越破旧；只有行宫至今完好无损，仍显现出它旧日的辉煌。

　　在政治上谋求统一的征途上，17 世纪的荷兰正处于它的鼎盛时期，也为建筑领域中新的开发提供了绝好的契机。当时，即使在相互激烈争斗的欧洲各国君主中，阿玛丽雅王妃也颇负盛名，确立了荷兰在世界上独一无二的文化方面的地位。

　　《金色大厅》一书中，通过当时贵族的记述，以较多篇幅表现了当时建筑风格的简约和流畅。1677 年曾来行宫访问过的伏尔加那的贵族鲍约兄弟。在他们的游记中写道："not large. But magnificent and of the utmost elegance."（意为：虽然不大，但十分壮丽和典雅。——译者注）在此 2 年前，即 1675 年，阿玛丽雅王妃故去。

　　阿玛丽雅王妃死后，立刻由威利阿姆三世对建筑和庭院两侧进行改建和扩建，由皇家避暑行宫变成固定的住所。这是由于行宫恰好位于海牙这样的政治中心城市的缘故。

　　在法兰西占领时期，皇家行宫曾一度改作州立监狱、美术馆和旅馆。然而，随着路易·拿破仑被迎入荷兰，行宫又重新回到王室手中，并继续作

从东侧看到的皇家行宫（1690 年前后）

为王室的避暑别墅，随后又曾进行过大规模的整修和装潢。1813 年，荷兰独立后，这座所谓的"金色大厅"照旧用作王室的行宫。直至 1981 年王室迁出之后，这里就再也没有当作居住场所使用过。

### 与皇家行宫有关的人

　　阿玛丽雅王妃于 1640 年其儿子威利阿姆二世结婚前，命建筑师雅可夫·冯·柯赫和彼得·波斯特为露易丝·德·柯丽妮（弗雷德里克·赫里国王之母）改建奥特霍夫（OUDE HOF）城堡。

　　行宫的庭园设计由彼得·波斯特负责，施工则交给了深得王室信任的冯·德尔·柯洛恩。

　　由于弗雷德里克·赫里国王受的是法国教育，因此对法兰西风格的庭园有些偏好。但此时（1645 年）他已

病入膏肓，无法顾及。庭园的构筑风格则完全由阿玛丽雅王妃和执政官康斯坦丁·黑根来决定。康斯坦丁·黑根本人是位科学家，也是作家和音乐家，固守着意大利文艺复兴时期的人文主义传统。因此，在彼得·波斯特和雅可夫·冯·柯赫设计的建筑和庭园上，我们也能找到意大利文艺复兴时期的影子。另外，也有一种说法，阿玛丽雅王妃是受了鲁克圣布尔宫的玛丽·多·梅蒂奇的影响。

　　皇家行宫于 1645 年建成，2 年后（1647 年 3 月 14 日）弗雷德里克·赫里国王驾崩。此后，直至 1675 年阿玛丽雅王妃在奥特霍夫城堡死去，庭园一直被管理得井井有条。

　　阿玛丽雅王妃死后，由其次女阿尔卑契奴·雅格内丝取得行宫的继承权，但是由于建筑和庭院的维护经费

难以筹集，终于在1686年将行宫继承权转让给了她的外甥威利阿姆三世。

一般认为，在1686年威利阿姆三世与其王妃梅雅丽二世举行一次盛大舞会前后，对行宫庭园进行过改造，而且工期很短。达尼埃尔·马洛是法兰西庭园的大师卢·奥特尔的学生，在举办皇家大型舞会的当天，从凡尔赛宫来到海牙。在H·冯·圣坦内拉兹的指挥下，庭园改造工程引进了香迪城堡的橙色大花坛，处处焕然一新。可以推测的是，大花坛的引进定是达尼埃尔·马洛所为。

1689年，威利阿姆三世随梅雅丽王妃移居汉普顿城，但达尼埃尔·马洛仍追随国王左右，频繁出入汉普顿城。梅雅丽王妃也是一位法兰西庭园的爱好者，在移住汉普顿城之后，也没忘记赫特洛庭园的事。

1702年，威利阿姆三世病故，皇家行宫的继承权在经过几番波折之后，落入已故弗雷德里克·赫里国王和阿玛丽雅王妃之女亨利·卡莎丽娜手中。然而，她对行宫毫无兴趣，遂于1703年将行宫转让给普罗西亚王弗雷德里克一世。1732年，普罗西亚与那索两家交换了转让文书，直至威利阿姆四世时，行宫才重新回归海牙王室。

1733年，开始了行宫的扩建工程。施行这一计划的契机是翌年的3月25日，威利阿姆四世与英格兰女王安娜将在英格兰的圣詹姆斯·巴勒斯完婚。

由达尼埃尔·马洛设计的建筑的大部分，都是从1733年（马洛时年70岁）到1737年间建造的，并完全增设在原建筑的两翼。可是，工程进展遇到了障碍，工程原定于1754年全部完成，威利阿姆没等工程结束便撒手人寰。这样一来，整体上完全改变了彼得·波斯特的设计风格。1720年前后，达尼埃尔·马洛似乎参与了包括这座建筑物在内的庭园设计；但为什么设计的庭园却没有建成，至今仍旧是个谜。

彼得·斯瓦尔特自1749年以后一直从事各种庭园的设计工作，估计他也参与了行宫庭园的设计。在这期间还有两个搞造园设计的德国人约翰·哈曼·库奴普随着威利阿姆四世的母亲玛丽亚·露易丝·卡塞尔来到这里，同斯瓦尔特一道工作。威利阿姆四世在当时给母亲的信中写道："为改建行宫，可否借库奴普一用？"

1751年，威利阿姆四世在皇家行宫死去，其子威利阿姆五世以弱冠之年即位。不久，1789年法兰西革命爆发。1795年，由查尔斯·匹丘格尔将军率领的法兰西军队侵入荷兰，威利阿姆五世随同家眷逃往英格兰。

1806年，路易·拿破仑作为荷兰国王被迎入海牙，皇家行宫庭园在J·D·佐卡的配置下，更倾向于成为一座自然风光式的庭园。今天仍残留在荷兰的庭园，便是以J·D·佐卡的概念为基础构成的。

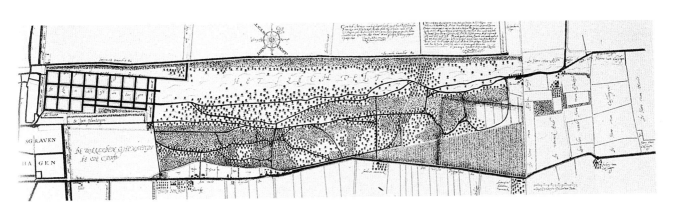

1645年时行宫周围未耕作的领地和海牙森林（17世纪地图）

# [II]三个庭园风格随时光流逝而改变

## 1 1645 年时的庭园——意大利文艺复兴时期风格

建筑两侧的草坪和树木，庭园中的轴线以及花园的对称配置，无一不是意大利文艺复兴时期的风格，也表现出设计者彼得·波斯特和执政官康斯坦丁·黑根的倾向。

在《Het huys int bosch》一书中，鲍约兄弟对行宫庭园曾有过这样的描述："行宫背后是一座由许多花坛组成的庭园，庭园中央立着 4 尊石像。两侧的阶梯，可通往被浓荫覆盖的 2 座蔓亭。除此之外，再没什么雕塑和喷泉之类的装饰。庭园面积不大，还长着几棵造型优美的果树。庭园四周有围墙，围墙外面被小河环绕着。"

在同一本书中，鲍约兄弟还写道："缠绕着绿树的木格方尖塔立在花坛的 6 个转角处。这些方尖塔不仅起着突出庭园视觉效果的作用，也具有一定的实用性。各个尖塔的顶端都安装一个赶鸟用的圆球。花坛两侧各有一个八角形的蔓亭，沿横轴被绿荫覆盖。

蔓亭的二层上围着平台，站在上面可将庭园一览无余。

建筑物正对着由巨大石块砌成的半圆广场，林荫道从半圆广场开始，一直延伸到石造的正门。人字形三角拱门上，镶嵌着弗雷德里克·赫里和阿玛丽雅王朝的徽章。恬适的林荫道和宏伟的半圆广场突出了通往行宫道路的景观效果。"

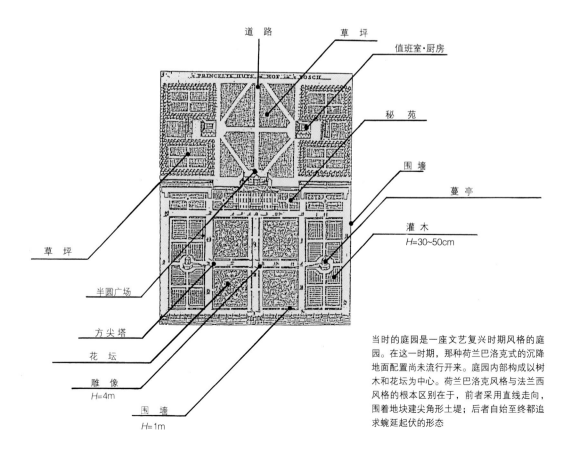

当时的庭园是一座文艺复兴时期风格的庭园。在这一时期，那种荷兰巴洛克式的沉降地面配置尚未流行开来。庭园内部构成以树木和花坛为中心。荷兰巴洛克风格与法兰西风格的根本区别在于，前者采用直线走向，围着地块建尖角形土堤；后者自始至终都追求蜿蜒起伏的形态

旺·德尔·黑甸的油画《从庭园里看到的行宫》（1670 年） 伦敦世界画廊收藏

The Garden Front of ʸᵉ PRINCE of ORANGE'S House in the Wood near the HAGUE.
Vüe de la Maison dans le Bois du côte du Jardin de S. A. S. le Prince d'Orange Stadhouder des Provinces Unies, &c. &c. &c.
Dedié a Son Altesse Serenissime le Prince d'Orange Stadhouder des Provinces Unies, &c. &c. &c. Par J. A. S. le Très Humble & Très Obeissant Servit.

## 2 1690 年时的庭园

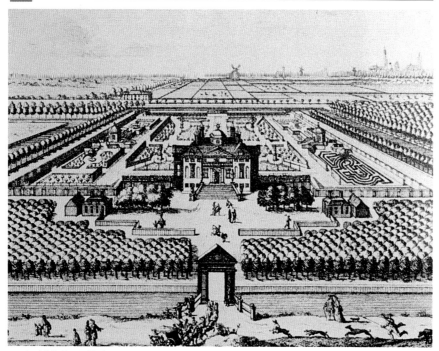

1690 年时的行宫正面效果

1686 年，威利阿姆三世在从雅格内丝手中取得皇家行宫的全部权利之后，以举办大型舞会为契机，开始了对庭园的改造。恰在这时，达尼埃尔·马洛（当时只有 23 岁）也从凡尔赛来到海牙。在这座庭园中构筑的大花坛，多数人认为是达尼埃尔·马洛的创意。

遗憾的是，改造后的庭园没有留下其他庭园那样的平面布置图。但从现存的甬路遗迹推断，庭园各处的地势是起伏不平的。正面庭院有大面积的树林，在建筑的前面和两侧各有几组树丛。后院有弧形的沉降地面、由灌木丛包围着的花坛、多用途的方尖塔和修剪过的树篱等各种景观，从其构成手法和与庭园整体的平衡关系来看，明显的是文艺复兴晚期那种随意性很强的巴洛克风格。也许，庭园中能称之为法兰西风格的景观只有起伏不平的地势和大花坛。

在《Het huys int bosch》一书中，关于这座庭园有如下的记载："在 H·冯·圣坦内拉兹的指挥下，施工过程中引进了橙色大花坛，使庭园面目为之

树林

树林

秘苑

草坪雕塑

沉降地面

树木

花坛

荷兰巴洛克风格的特征之一——园内的沉降地面

一变。不过，这里的大花坛是没有缘饰的。在绿荫覆盖的蔓亭旁边，立着很高很显眼的柱子。此外，在小树林里则什么都没有。马洛一定是在卢·奥特尔设计的香迪城橙色庭园基础上提出自己的方案的。橙色庭园与马洛设计的庭园之间有许多相同之处。如4个大花坛里都设有雕像，花坛侧面设有八角形的水池，蔓亭则建在庭园两端。庭园与道路平行展开，四周有

蔓亭建在庭园两端

围墙，围墙上的雕像据说是戈尔比姆。"

1620—1814 年年表

**人物**

| 1625 | 1632—1634 | 1647 | 1668 | 1669 | 1675 | 1677 | 1678 | 1686 | 1689 | 1702 | 1703 | 1748 | 1751 | 1752 | 1767 | 1795 | 1806—1807 | 1813 |
|---|---|---|---|---|---|---|---|---|---|---|---|---|---|---|---|---|---|---|
| 莫里兹殁 | 阿玛丽雅（23岁）与弗雷德里克·赫里（41岁）结婚 赫里家族住在海牙的比纳霍夫 | 弗雷德里克国王崩（63岁） | 冯·德尔·柯洛恩出版《荷兰的宫廷匠人》 | 彼得·波斯特殁 | 阿玛丽雅王妃殁（73岁） | 威利阿姆三世与英王詹姆斯二世之女玛丽二世结婚 | 阿尔卑契奴·雅格内丝受继HTB（注） | 鲍约兄弟访问HTB 达尼埃尔·马洛从贝尔萨休来到海牙 | 威利阿姆三世与梅雅丽二世移居汉普顿城 | 威利阿姆三世崩 | 普罗西亚王威利阿姆三世之继承权 阿玛丽雅之女卡莎丽娜转让HTB之继承权 | 威利阿姆四世收回HTB并放养动物 | 威利阿姆四世崩 | 达尼埃尔·马洛殁（89岁） | 威利阿姆五世与索菲娅·维赫米娅结婚 | 法兰西入侵，威利阿姆五世逃往英格兰 | 路易·拿破仑为荷兰之国王，居比纳霍夫 | 法米纳也同时回国 威利阿姆五世之子弗雷德利卡率家族返回荷兰 HTB作为避暑胜地被皇家利用 |

**建筑物·庭园**

| 1621 | 1631 | 1633 | 1645 | 1687 | 1733—1737 | 1749 | 1753 | 1754 | 1778 | 1799 | 1807 | 1814 |
|---|---|---|---|---|---|---|---|---|---|---|---|---|
| 霍斯拉斯丘克始建 | 德尔奥勃城堡始建 | 霍斯拉斯丘克始建花坛 | 始建HTB（由彼得·波斯特设计） | HTB庭园改建 | 达尼埃尔·马洛在扩建工程中设计 增建两侧房屋，完成其中之一部 | 彼得·斯瓦尔特和约翰·哈曼·库奴普共同设计哈特洛庭园 | 从弗洛斯特运入花瓶 雕塑和喷泉制作者罗特尔门德对东西门进行装饰 | HTB扩建工程结束 | 达尼埃尔·马洛设计的花坛 被移至建筑前面 | 对外开放 | J·D·佐卡设计出英格兰风格的 法兰西将HTB作为礼物送给波亚人 HTB庭园 | 为欢迎俄罗斯沙皇亚历山大 在HTB举行宴会 |

**其他欧洲历史事件**

| 1615 | 1621 | 1648 | 1672 | 1688 | 1700 | 1810 | 1814 |
|---|---|---|---|---|---|---|---|
| 里库圣布尔出生 | 建造奥特尔庭园 东印度公司成立 | 缔结姆恩斯塔和约取得独立 80年战争结束，荷兰从西班牙统治下 | 凡尔赛宫始改建 | 凡尔赛宫建成 | 奥特尔殁（87岁） | 拿破仑将荷兰并入法兰西版图 | 拿破仑退位 |

注：HTB 为"海牙皇家行宫"之缩写。

## **3** 18 世纪 20 年代由达尼埃尔·马洛设计的庭园——梦幻庭园

达尼埃尔·马洛把从奥特尔的作品中学到的东西以及法兰西的庭园风格全部融入到了这座占地不过数公顷的皇家行宫中去。

18 世纪 20 年代后期，马洛先是在原有建筑的两翼增设房屋，并着手这座未实施的庭园的设计。这是一种整体上看上去像是流动的法兰西式庭园。构成树林的树木都有华盖一样美丽的树冠，彼此以较大的间隔整齐排列着，具有某种层次感。对于贯穿建筑前后的南北方向轴线来说，在突出其对称性的同时，也表现出轴线两侧图案的变化。建筑物横向（东西）轴线上分布着小河、花坛和花园剧场，是一种左右非对称的大胆创意。从这一点可以看出，马洛十分重视让整体流动的韵律感和富于变化。在相对于建筑的横轴上布置小河，那是马洛在法国的维柯特和香迪与奥特尔频繁接触的结果，在这张纸上编织着一位年近 70 的老造园家的梦想。

关于这个被搁置的庭园设计方案，在《Het huys int bosch》一书中有这样的记述：

"马洛在实际再建前就搞了一个设计，依据这个方案主要变更的地方是：向庭园东侧拓展。其结果将延长横轴，并主要以小河来体现；而从东侧围墙内公主房间窗户望出去，景致会变得更加赏心悦目。向庭园西侧扩展是不可能的，但从西侧房间里向外望去，景观是应该最美的。可惜，不知为什么，马洛的这个设计方案没有被采用。"

## 达尼埃尔设计的庭园为什么没有实施

威利阿姆四世似乎是位动物爱好者。1748 年，他重新购回了行宫及其附近的领地，饲养起各种动物。即使在他死后，安娜王妃还在行宫南侧为 4 岁的威利阿姆五世建造动物园。1749 年，威利阿姆四世给他母亲的信中，也提到构筑野生动物园的设想，并要借用他母亲从德国带来的造园设计师约翰·赫尔曼·库奴普。这一切都可以证明，威利阿姆四世对饲养动物的钟爱。

1733 年，在行宫两侧的扩建工程开始时，尽管威利阿姆四世说不定已是一个动物迷，但马洛设计的文艺复兴晚期风格的庭园却与威利阿姆四世的野生动物园毫无联系。

作为马洛设计方案被搁置的原因，或许与威利阿姆四世的情趣爱好有关；其次可能是经费问题。达尼埃尔·马洛向东侧扩展的庭园设计方案，其建筑成本是 个庞大的数字；但是，直至 1686 年阿尔卑契奴·雅格内丝将行宫转让给威利阿姆三世时为止，建筑和庭园的维修费用已拖欠了许多。因此，在管理上也不可能做得很好。正常的维修和管理尚难以为继，何谈再向东侧扩展呢！

《Het Huis Ten Bosth》曾说："直至 1780 年前后，由彼得·波斯特设计的这座庭园，一直没有太大的改变。"结果是，从 1733 年开始，至 1754 年结束的扩建施工期间，既没有反映出 1751 年去世的威利阿姆四世的庭园情趣，也没有采纳达尼埃尔·马洛的设计方案。

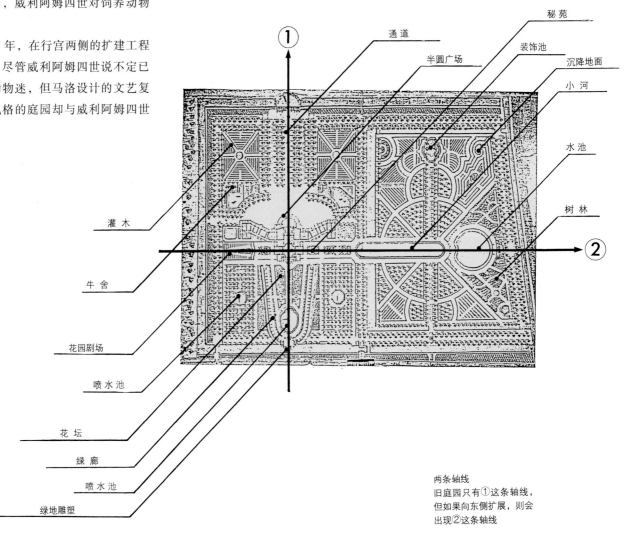

灌木
牛舍
花园剧场
喷水池
花坛
绿廊
喷水池
绿地雕塑

① 通道 半圆广场 秘苑 装饰池 沉降地面 小河 水池 树林 ②

两条轴线
旧庭园只有①这条轴线，
但如果向东侧扩展，则会
出现②这条轴线

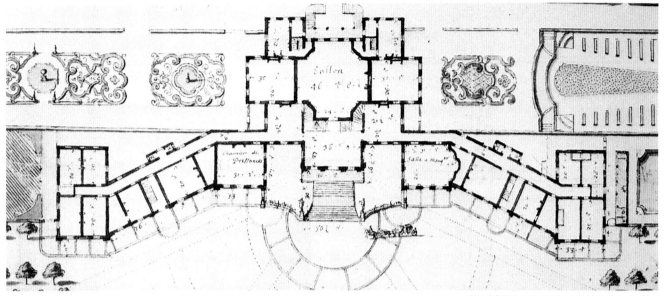

未付诸实施的由达尼埃尔·马洛设计的庭园平面图

行宫正面

行宫背面 La Farge 的绘画（1750 年）

由卢·奥特尔设计的法国维柯特宫庭花
园给达尼埃尔·马洛以很大影响

# [Ⅲ]法兰西式庭园的轴线和理念

空间处理手法

| 项 目 | 形状，配置 | | 设计理念和处理的原则 |
|---|---|---|---|
| 地块形状<br><br>轴 线<br><br>方 向 性 | 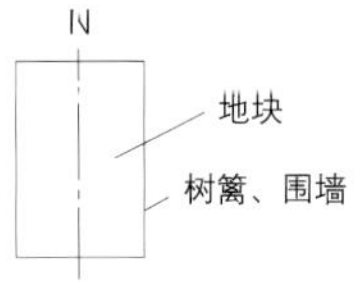 N<br>地块<br>树篱、围墙 | | • 地块以矩形为主，形状过于复杂的地块尽量弃之不用<br>• 南北方向为长边<br>• 地块周围设树篱和围墙 |
| 建筑物位置 | 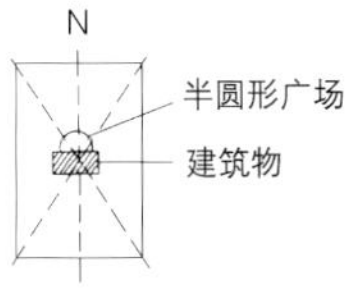 N<br>半圆形广场<br>建筑物 | | • 前院要大一些，但有时也将建筑物配置在地块中央<br>• 地块中央的建筑被视为"天空中的太阳"，要配有半圆形广场<br>• 建筑物朝北配置，以使背面的庭园环境显得更加明媚 |
| 前院和后院 | 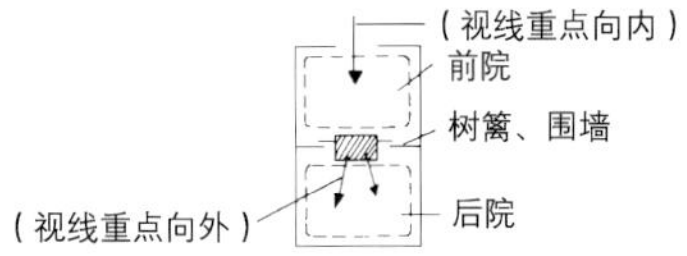 （视线重点向内）<br>前院<br>树篱、围墙<br>后院<br>（视线重点向外） | | • 建筑正面设通道的一侧为前院，其背面为后院<br>• 前院以通往建筑的道路为重点，不必太重视从建筑里向外看的效果<br>• 建筑立面和树木均要加以整饰。后院则是从建筑里向外眺望的最佳景观<br>• 前后院之间以树篱分界<br>• 建筑两侧设有秘苑 |
| 通道 | 通道 | 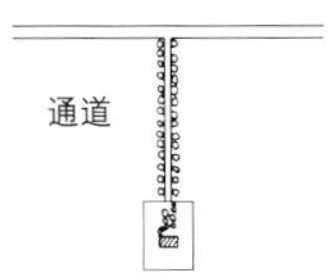  直线形 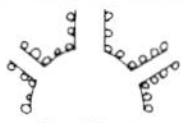<br>辐射形 | • 来自北侧的通道，向南直至"太阳"（建筑）所在之处<br>• 通道以直线延伸，不仅具有视觉上的效果，也是权威的象征 |
| 边界及其周围树木 | 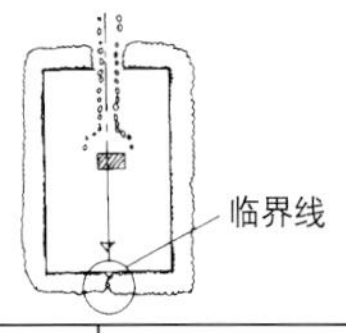 临界线 | | • 为使边界突出，四周栽种成行的树木，并加以修剪成形<br>• 界线上的树木与外部景观要有一定的连续性，以增加庭园整体的纵深感 |
| 界外借景 | 临界点 A 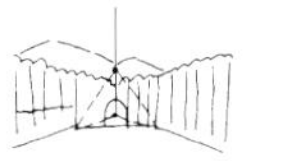<br>将借景作为远景时的<br>VP（没影点） | 临界点 B 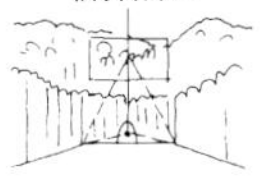<br>将借景作为远景时的<br>VP（没影点） | • 临界上的借景一定要使远景具有没影点。当近景也具有没影点时，近景（如树木）将过分突出，产生没影点不固定的屏蔽现象，使庭园变得有一种箱笼似的窒闷感（如左图临界点 B） |
| 庭园的顶角处 | 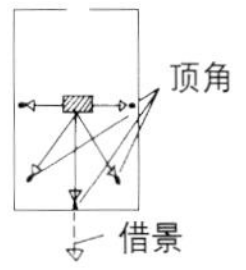 顶角<br>借景 | | • 庭园几何形状的顶角如左图配置，轴线上的顶角设在最远处，以突出轴线，并加大庭园的纵深感 |
| 对称 | | | • 庭园内设施以轴线为基准对称布置，并依据其形状、重量和质感的不同来加以平衡<br>• 轴线上的设施也有一定的变化 |

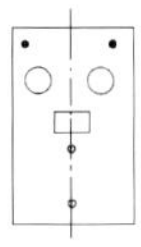

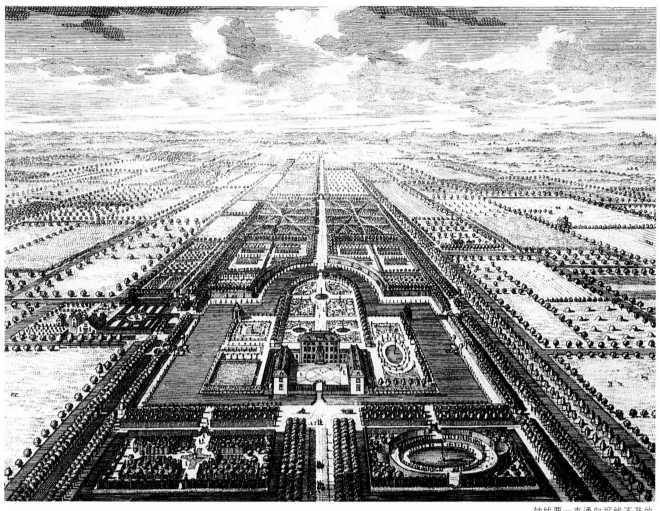

轴线要一直通向视线不及的
远处，整体上的对称布置中，
也多少有些变化（17世纪，由
斯特芬达尔设计的传统法兰
西式庭园）

17世纪后半叶，由达尼埃尔·
马洛设计，建在荷兰赫特洛
的王宫及其庭园。当时由威
利阿姆三世与其英格兰妻子
梅雅丽王妃住在这里。1984
年进行了彻底整修

# [Ⅳ]从荷兰到长崎——规划中的长崎"皇家行宫庭园"

## 1 地块的选定和轴线设置

地块的选定与轴线的设置会对彼此产生很人影响。我们试将轴线分别如下图Ａ、Ｂ那样划定，比较一下会出现什么样的结果。

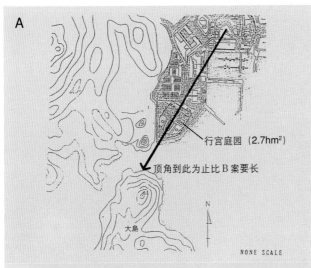

行宫庭园 (2.7hm²)

顶角到此为止比Ｂ案要长

大岛

NONE SCALE

- 后院轴线上的借景可取自大岛上的山麓远景
- 庭园地块近似长方形，可较方便地表现出法兰西式庭园的设计理念
- 通道拉得较长，可体现出皇家行宫的庄严
- 地块整体上的整理工作比较容易
- 由于轴线近似于南北方向设置，因此后院中便可以表现出法兰西式庭园的"光和影"、"形和色"的变化

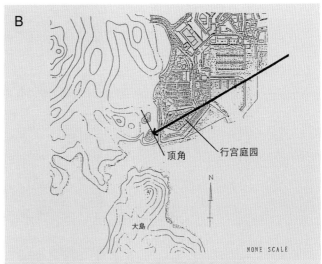

顶角　行宫庭园

大岛

NONE SCALE

- 近景的山成为后院轴线上的借景，从而产生屏蔽现象
- 当对称布置庭园时，看起来像古埃及的墓地
- 通道较短，显得不够庄严
- 地块整理的工作量较大
- 由于轴线近似于东西走向，因此后院将难以出现"光影"和"色形"的变化

从对Ａ、Ｂ两个庭园的地块和轴线的讨论中，我们可以得出这样的结论：如果要建设法兰西式庭园，图Ｂ是不合适的。假设硬要采用图Ｂ的轴线来造园的话，则应去掉四周的树篱，造成Ｊ·Ｄ·佐卡曾尝试过的那种自然风景式（英格兰式）的庭园。然而，从皇家行宫所具有的庭园价值及其代表的文化历史潮流来说，必须建成法兰西式的庭园。经过反复研究，最终采用了图Ａ的轴线。不过，图Ａ的方案中也有两个问题（见下表）。

| 图Ａ的问题点 | 讨论的结果及其采取的对策 |
| --- | --- |
| 建筑物正面朝北，会显得阴暗 | ·建筑虽然朝北，但后院的主花园却沐浴在阳光下，会出现法兰西式庭园的"光影"和"色形"变化<br>·建筑物本身即是庭园中的"太阳"，通道则是由北向南直指"太阳"的，这是法兰西庭园的基本理念<br>·与东西向轴线配置相比较，建筑正面朝北的缺点可忽略不计<br>·建筑正面的通道方向性，即由北至南是确定不可改变的。舍此，则朝着建筑物移动的各种景观和设施亦毫无意义 |
| 建筑正面对着一座公园，那里将建一座5、6层高的旅馆，会对行宫的视野造成障碍 | ·从建筑物向外望，其景观重点应在背面，那里才是主人真正的活动空间<br>·将来建起的旅馆产生的视野障碍，会被中高树木构成的过渡绿化带淡化 |

被采用的图 A

## 关于皇家行宫的谈话

"长崎生态公园"、"长崎荷兰村"、"皇家行宫"等工程的参加者松尾辉巳（现石胜造园九州支店长崎营业所所长）的谈话。

在"长崎荷兰村"3期工程之前，一直由日本国土开发株式会社承建。到了昭和63年（1988年）3月，在"长崎荷兰村"竣工典礼上当着日本设计所池田社长等工程相关人士的面，神近先生以直接点名方式，将皇家行宫工程交给了石胜所。当时，大家都兴奋得流下了眼泪。

我当初加人石胜所的目的是为了参与"长崎荷兰村"项目，我完全相信皇家行宫工程也会取得圆满成功，这

成为我要在石胜所长期干下去的理由。为该项目的设计方案，我们曾去荷兰实地考察过，然后又历经三年的施工，建成一座真正荷兰式的庭园。

**曾参与"长崎荷兰村"和"皇家行宫"工程的山崎博司（现在石胜所九州支店长崎营业所任职）的谈话。**

作为一座荷兰主题公园，原本要引进荷兰的树木，不料刚将方案提出，便受到神近先生的厉声呵斥。最后听取了先生的意见，选择了适应当地气候和水土的日本树木。

我想，当时一定有不少人打算在树木的供应上捞一把，因此，前来商讨

与树木有关业务的人络绎不绝。但是，承建皇家行宫的首要目的不是赚钱，而是都抱定建设高标准工程的使命感。

"长崎荷兰村"应该是皇家行宫的基础，连日本设计所的管理人员都说："听石胜所的没错。"事实上，尽管神近先生再三强调环境的重要性，但一些新成立的公司并不都能理解，恰在神近先生产生建造"海牙皇家行宫"念头的当口，荷兰的维多利亚女王也正在修建自己的城堡。神近先生更一步萌生了邀请荷兰女王到这里来的构想。在翻阅大量文献资料后，看中了达尼埃尔·马洛的创意，使石胜所又得到一次展示自己的机会，是件可喜可贺的事。

## 何谓图像学

图像学的运用，贯穿造园过程的始终。例如，意大利蒂沃里的彼勒·埃斯特以希腊神话《金苹果的故事》中的赫拉克雷斯神像为中心的造园手法；法兰西贝尔萨休城道路中央摆放的太阳王路易十四的骑马塑像，以及后来用太阳神阿波罗的塑像替换路易十四骑马雕塑……，种种象征性的造园手法中，都没有离开图像学的理论。

只有将图像学作为一种科学和艺术体系加以融会贯通，并具有与时代特征和风土人情密切结合的能力，才会更深刻地理解，为什么将牧羊神的塑像放在树林中，阿波罗头上戴着月桂编织的帽子，手握横笛的牧羊人是宙斯神的使者丘比特……。

## 图像学在长崎的海牙皇家行宫中的运用

在马洛从事造园设计的18世纪的欧洲，正处在一个被希腊神话和相关意识形态支配的时代。

长崎的皇家行宫庭园也先要返回原点，再展开它独特的故事情节。

庭院的前院为"天"，后院为"地"。

"天"庭院中，以"太阳"A为中心，从那里射出的"光线"投在"地球"B上，并沿着AB连线的延长线远去。通道两侧的花坛D以及遮挡"太阳"光线的建筑两翼G，是"光的粒子"，由它支配着四季的更迭。到了秋季，会变成一片黄色和红色的"光"（落叶树）。在"天"庭院的角落里，存在着被树木（常绿树）E和H包围、光线照不到的黑暗空间，那是"夜晚"的世界。同时，庭院里还有一处米诺斯王囚禁牛身人头怪物的沉降地I。在"夜晚"世界中，还有一处沉降地J。不过，那里到处都有光明天使凯尔比姆X。

每个天使凯尔比姆都恰好位于树篱的拐角处，看守着沉降地和牛身人头兽。凯尔比姆的光源，来自建筑正面台阶两边的庭园大花瓶Y。天神之妻地神为诸神之母，是一位精神矍铄的永生之神。她的子孙中有奥林巴斯大神宙斯、波赛东、德梅特尔、赫拉、阿尔德密斯、阿特那、阿弗洛蒂、赫尔梅斯和赫拉克雷斯等。诸神在行宫后院演绎着一个个动人的故事。

导致特洛伊战争的"帕里斯审判"正在阿弗洛蒂A、赫拉B和阿特那C三位女神之间进行。阿弗洛蒂遵守爱的誓言，对特洛伊王帕里斯忠诚不贰，赫拉拥有政治上的统治权，阿特那则稳操战争的胜券。胜利和爱的女神阿弗洛蒂栩栩如生地立在瀑布上端，遥望着波涛汹涌的大海O。宙斯的结发之妻、一夫一妻制的守护神、贞洁女神赫拉的身后是象征贞洁的花坛P1；睿智的处女神阿特那则将象征纯洁的草坪P2作为自己的领地。

执掌一切技艺的神赫尔梅斯D，望着象征技巧和智慧的花坛Q；而无所不能的巨神阿波罗E则默望着象征威严的花坛R。还有，农业女神德梅特尔F将代表耕地的草坪S1纳入自己的统治范围；同德梅特尔一样代表后院一个侧面的女神、狩猎女神阿尔德密斯G，以代表原野的草坪S2作为自己的领地。

从广袤"大地"中央（主轴线）穿过的河流（瀑布）TUOVN代表地神跳动的"血管"，在它延长线上有大力神。他是历经千劫万难之后才得以升天成神的。另外，在树林里，隐约地能见到庭院的守护神赫拉克雷斯i。

在与主轴线垂直相交的轴线上，背对"大海"立着海洋守护神波赛东。在秘苑L中的花园剧场L1，能见到诗歌和戏剧女神牟莎侬。在另外一个秘苑K中有两个花坛，据说是花神弗罗拉的领地；但哪里也找不到她们的身影。

最值得一提的是，希腊神话中诸神所在位置及其属地都在地神的手掌上，她们与轴线上的水流合在一起，使大地之神的生命永不停息。

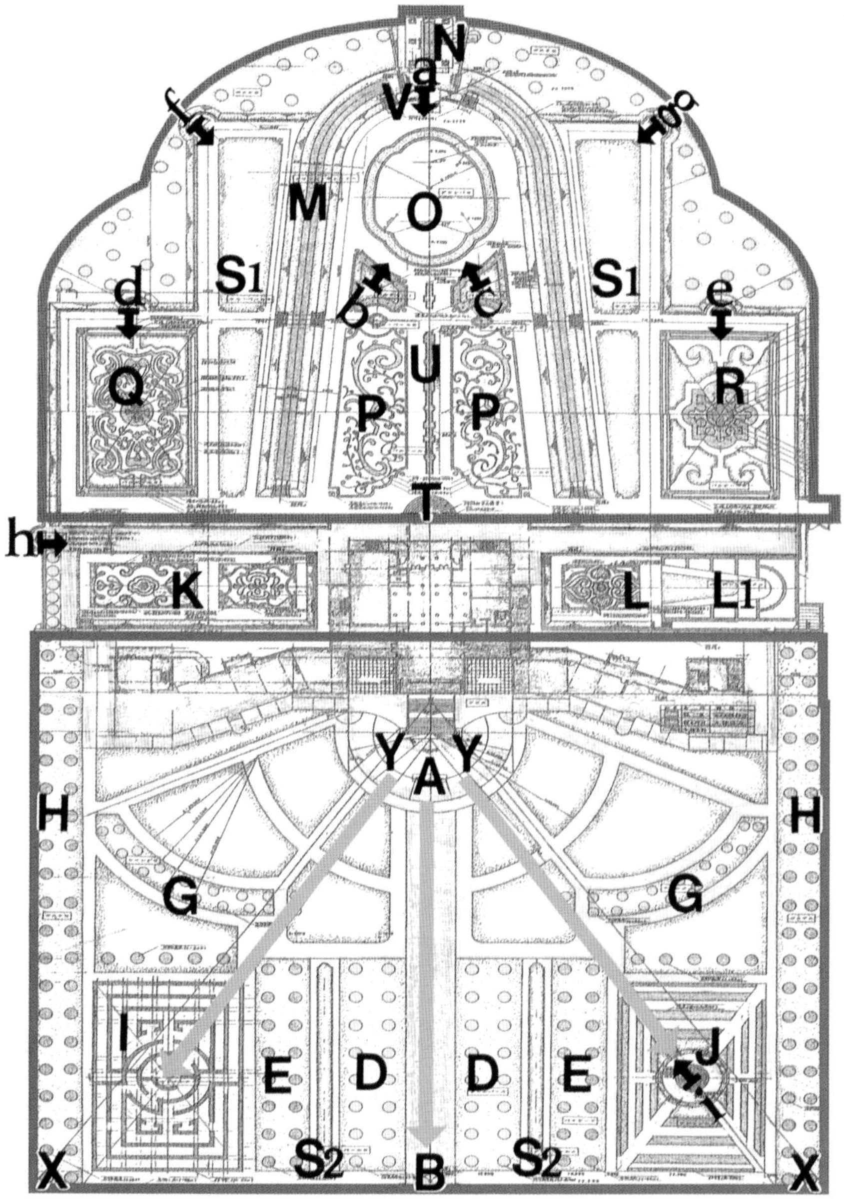

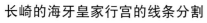

赫拉克雷斯

手持麦穗的农业之神德梅特尔

庭园大花瓶（由石胜所设计）

"大地"庭院（后院）主园
"天空"庭院（前院）
来自"太阳"（半圆广场）的"光线"

## 长崎的海牙皇家行宫的线条分割

上图的平面布置是在达尼埃尔·马洛设计的平面图基础上，再按照长崎现场的地形加以修订而成。地块整体上采用黄金分割法划出各个区域，其中的重点是从B通到N的主轴线。

在前院中，从建筑正面通过庭园大花瓶Y和半圆形广场至树篱拐角处X的这条线，被设计成放射状，是前院中仅次于主轴的线条。

## 各部名称

A　半圆广场（"太阳"）
B　通道
D　树林（落叶树）
E　树林（常绿树）
G　建筑两翼（植落叶树）
H　树林（常绿树）
I　沉降地
J　沉降地
K　秘苑
L　秘苑
L1　花园剧场
M　绿廊
N　瀑布
O　水池
P1、P2　花坛
Q　花坛
R　花坛
S1　草坪
S2　草坪
T　瀑布
U　瀑布
V　瀑布
W　树林
X　守护天使
Y　庭园大花瓶

## 长崎的皇家行宫诸神雕像

A　阿弗洛蒂
B　赫拉
C　阿特那
D　赫尔梅斯
E　阿波罗
F　德梅特尔
G　阿尔德密斯
H　波赛东
I　赫尔克雷斯
ABC为三美神

## 3 长崎的海牙皇家行宫的各部名称及其功能

前院——"天空"庭院

### E 常绿树林

这里选用的树种都是人工修剪后可以呈现美丽造型的常绿树木，整齐地排列在道路两侧（见右图）。这座庭园中的树木，都未加过分地修剪，基本保留了原有的自然形态，树种为楠木和白樟，树周围铺草坪。

### D 林带

在通向半圆广场的道路两侧，栽有4列树木，形成一条林带。由于这里连接着由前院向外延伸的树林，因此也使用同一树种，多为北美树木。地下同样铺有草坪。

### S2 草坪甬路

草坪甬路像绿色地毯一样，具有强烈的装饰效果。在荷兰，类似的草坪甬路一般都以混凝土块作路缘；但在古典主义的法兰西式庭园都不这样做。这座庭园同样没有使用混凝土路缘。

左侧的行道树和中间的草坪甬路（长崎皇家行宫、法兰西式）

草坪甬路，有混凝土缘石
（赫特洛庭园，荷兰巴洛克式）

位于西洋庭园一角沉降地上的迷宫

## J 沉降地 A

中间有个带喷泉的小水池，象征着地狱，上面立着幼年时的赫拉克雷斯以及她母亲赫拉送的两条毒蛇。水池周围是修剪过的杜鹃，沉降地 A 的最外一圈的形态和面积与沉降地 B 一样，也栽着大黄杨。其余的地方铺着沙砾。

## I 沉降地 B

沉降表现的是整个世界。在组成庭园的各种舞台设施里，没有什么能像沉降地一样表现出宏观世界的生动景象。在它中间，幽禁着人头牛身怪兽。因此，不断向中心去的回归运动，一旦到达尽头，便不得不沿原路向外运动。单从平面设计图和"机关"设置的角度来看，中央处似乎还应该立座雕像什么的。但是，沉降地表现的是整个世界，不是微观的

空间，因此不需要摆放任何东西。如果要问为什么，那是因为微观空间的尽头便是"虚无"世界的缘故。这里也栽种大黄杨，地面同样以沙砾铺装。

## A 半圆形广场

意大利语中的"广场"一词，也含有"太阳"和"恒星"的意思。这种结构，从文艺复兴时期开始，一直到巴洛克时期，一直作为城市统治者权力的象征，广泛地用在建筑和庭园的设计中，并成为一种定型化的庭园造型手段之一。作为其中的代表作，有法兰西的维柯特宫和贝尔萨休城堡。事实上，达尼埃尔·马洛的平面设计图也可算作其中的典型之一。帕特·德瓦庭园则从实用的角度出发，采用半圆形广场变形的方式。至今，我们尚能见到的活用半圆形广场的例子有荷兰赫特洛宫、英国的汉普顿庄园和法国的贝尔萨休城堡等处。

从荷兰巴洛克风格的角度来看，像这样被放射状甬路分割的小地块是应该铺沙砾的。然而，这里的放射状甬路则以地砖铺装，这是考虑到长崎地区夏季气温非常高，如以沙砾铺装地面，将会产生对建筑物漫反射的后果。

半圆形广场（长崎的皇家行宫庭园）

主园——"大地"庭院

### U 瀑布

接纳小运河的水流，在不规则的涌
动中，给水池（"心脏"）输入"血液"。
在位于主轴线上的水系统中，瀑布具有
动态的视觉效果。而且，那不绝于耳的
水声，还能起到抵消其他噪声的作用。
瀑布的设计，是在荷兰赫特洛宫的基础
上修改的。

### O 水池

水池中央设有时控喷泉（喷射高度
10m，间隔10min，每次喷射1min）。这
里象征着大地之神的生命之源。按原来
马洛的设计，水池周围应有草坪和灌
木；位于赫特洛宫庭园中甬路节点处的
水池外周均铺以沙砾；法国的贝尔萨休
城堡则铺设草坪。这里，如左图所见，水
池外周以修剪过的灌木围住，起着栅栏
的作用，其余地方也栽植灌木或草坪。

水池外围（长崎的皇家行宫庭园）

阶梯瀑布

## T 阶梯瀑布

是距建筑物最近的水流，水自半圆形的台阶上一级级流下，台阶以混凝土制成。

## M 绿廊

是"绿色长廊"的意思，是建在庭园中的走廊，从走廊的窗口向外望去，景色十分诱人。

## N 教堂

这里包括前面提到的小运河。作为一处神圣的场所，由6根石柱和小运河构成。

教堂石柱

绿廊（本页照片均为长崎的皇家行宫庭园景观）

## P、Q、R 花坛

园中的花坛全部沿主轴线两侧对称配置。花坛R和花坛Q由草坪和修剪的灌木构成，在它外周围着灌木墙，中间栽有花卉，其余的地方铺满彩色碎石。在荷兰巴洛克式花坛的外周，混合栽种着丝兰、月桂和木槿等多种灌木；而在法兰西式的花坛内，都栽种着单一品种花卉。花坛P是刺绣花坛，这个设计完全是按照马洛的平面图搞出来的，尽量做到忠实于原作。类似的设计，至今仍然可以在维柯特宫（奥特尔的作品）中见到，这是刺绣花坛设计中的代表作。

庭园中也有几个小的花坛，都配置在秘苑中，那里是藏匿王室隐私的所在，以花卉植物为主。

荷兰巴洛克式花坛外围　　　　　　　　　法兰西式花坛外围外围

从阳台上望花坛（长崎的皇家行宫庭园）

长崎的皇家行宫庭园

## K、L　秘苑　L1　花园剧场

从文艺复兴时期开始，一般都在建筑物两侧附设私苑或秘苑，如果一侧是"王苑"，另一侧则是"妃苑"。所谓花园剧场，原本用来演出各种戏剧；但从文艺复兴时期起，直至巴洛克时代，这种功能已渐渐消失，变成了摆放雕塑艺术品具有装饰意义的场所。这里的树木都是适应佐世保气候的扁柏和柳杉之类，地面以草坪和沙石铺装。

长崎的皇家行宫庭园

41

# [Ⅴ]长崎的皇家行宫庭园花木分布图

| 名 称 | 规 格 | | | 数量 | 单位 | 备 注 |
|---|---|---|---|---|---|---|
| | H | C | W | | | |
| 钴柏(修剪高度4.0) | 4.5 | 0.3 | 0.8 | 198.0 | 棵 | 竹竿支撑 |
| 犬黄杨(修剪高度4.0) | 2.5 | 0.8 | | 1172.0 | 棵 | 竹竿支撑 |
| 紫杉棵 | 2.3 | | | 68.0 | 棵 | 竹竿三角支撑 |
| 楠树 | 4.5 | 0.5 | 1.8 | 123.0 | 棵 | 圆木三角支撑 |
| 梅树 | 3.0 | | 0.7 | 612.0 | 棵 | |
| 梅树 | 1.0 | | | 504.0 | 棵 | |
| 光叶石楠(修剪高度2.3) | 2.5 | | 0.6 | 976.0 | 棵 | 竹竿支撑 |
| 女贞(修剪高度0.8) | 0.9 | | 0.3 | 441.0 | 棵 | 竹竿支撑 |
| 美洲枫 | 15.0 | 1.0 | 5.0 | 2.0 | 棵 | 圆木三角支撑 |
| 美洲枫 | 15.0 | 0.9 | 4.5 | 1.0 | 棵 | 圆木三角支撑 |
| 美洲枫 | 14.0 | 0.8 | 4.0 | 4.0 | 棵 | 圆木三角支撑 |
| 美洲枫 | 13.0 | 0.7 | 3.5 | 4.0 | 棵 | 圆木三角支撑 |
| 美洲枫 | 12.0 | 0.6 | 3.0 | 10.0 | 棵 | 圆木三角支撑 |
| 美洲枫 | 8.0 | 0.5 | 3.0 | 11.0 | 棵 | 圆木三角支撑 |
| 美洲枫 | 6.0 | 0.35 | 2.0 | 34.0 | 棵 | 三角支撑 |
| 花木 | 10.0 | 1.0 | 4.0 | 3.0 | 棵 | 圆木三角支撑 |
| 花木 | 9.0 | 0.9 | 3.5 | 1.0 | 棵 | 圆木三角支撑 |
| 花木 | 8.0 | 0.8 | 2.0 | 1.0 | 棵 | 圆木三角支撑 |
| 冬槭 | 11.0 | 0.9 | 4.0 | 3.0 | 棵 | 圆木三角支撑 |
| 冬槭 | 10.0 | 0.8 | 3.5 | 15.0 | 棵 | 圆木三角支撑 |
| 椰榆 | 10.0 | 0.85 | 4.0 | 3.0 | 棵 | 圆木三角支撑 |
| 椰榆 | 9.0 | 0.7 | 3.5 | 16.0 | 棵 | 圆木三角支撑 |
| 桂树 | 7.0 | 0.4 | 2.5 | 6.0 | 棵 | 三角支撑 |
| 果树（苹果等） | 2.0 | | | | 株 | |
| 杜鹃类 | 0.5 | | 0.5 | 1557.0 | 株 | |
| 条纹杜鹃 | 0.5 | | 0.4 | 540.0 | 株 | |
| 杜鹃类 | 0.3 | | 0.4 | 1116.0 | 株 | |
| 犬黄杨 | 0.5 | | 0.25 | 456.0 | 株 | |
| 金眼黄杨 | 0.5 | | 0.25 | 384.0 | 株 | |
| 黄杨 | 0.5 | | 0.2 | 9136.0 | 株 | |
| 草黄杨 | 0.2 | | 0.15 | 29487.0 | 株 | |
| 梅花 | L=1.0 | | | 12.0 | 株 | |
| 蔷薇 | L=0.5 | | | 60 | 株 | |
| 花卉类 | 花坛用有机土壤 | | | 264.0 | m² | |

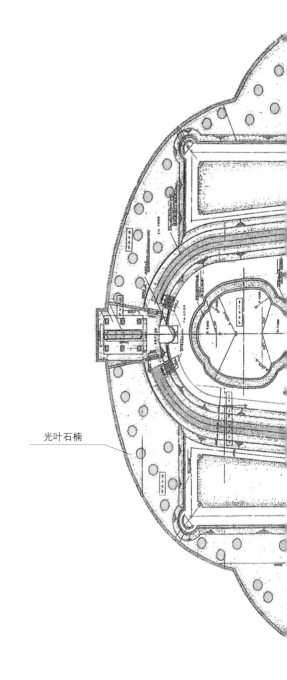

光叶石楠

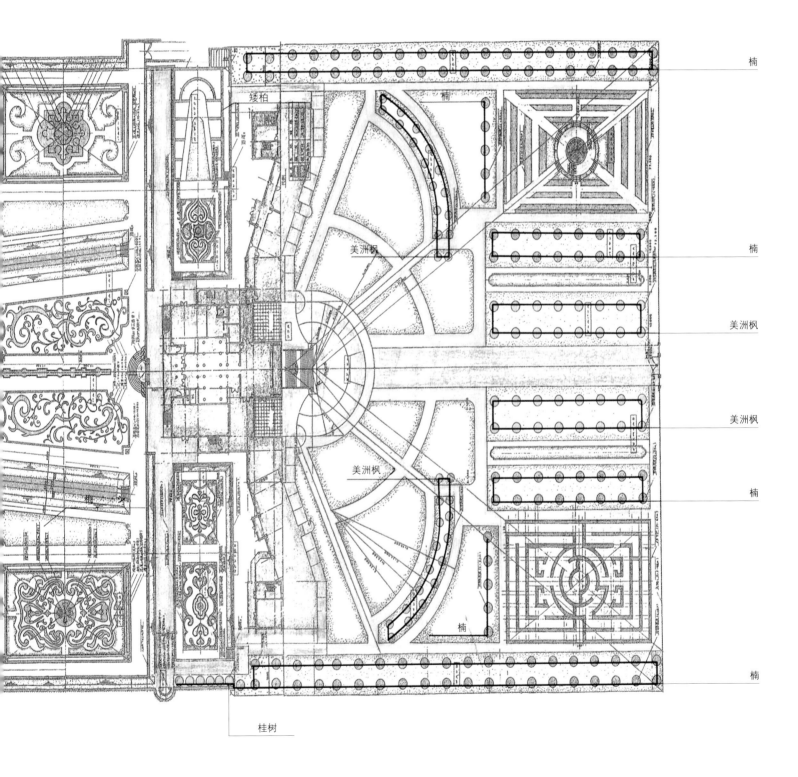

矮柏

楠

楠

美洲枫

美洲枫

美洲枫

美洲枫

楠

楠

楠

楠

桂树

# [VI]走向成功之路

施工前现场状况

绿廊土堤和金属骨架的
施工（第二年6月）

庭园外围的边界修整
（第二年8月）

行宫主体施工和绿廊工
程收尾（第三年3月）

花木栽培作业（第三年5月）

## ●皇家行宫庭园后院

全景（第三年春）院

先于主体工程之前修建的林荫路和沉降地处的迷宫

林荫路（第二年冬）

林荫路（第三年冬）

## ●花坛施工的进展情况
①先勾画出马蹄形的轮廓
②水池和小运河工程
③画出花坛图案
④同③
⑤花坛中的花木栽培
⑥花坛中花木周围的沙砾铺装
⑦完工后

①　　　　②　　　　③

④　　　　⑤　　　　⑥　　　　⑦

# [VII]关于皇家行宫庭园雕塑的制作

雕塑创作在表现庭园设计理念方面起着举足轻重的作用，也是皇家行宫庭园的生命之源。在这里应该特别提到相关的几件事。一是世界著名的白色大理石产地意大利的卡拉拉，在当地已形成一个庞大的雕塑家群体和独特的艺术风格；二是应该从题材和使用的材料这一角度对雕刻技法进行比较研讨。

●雕刻技法（意大利卡拉拉风格）

## 重点雕刻法（临摹法）

柔软的手指，生动的表情，一切艺术价值较高的雕塑艺术品，都是要以高超的技艺对大理石进行精确的加工后才获得的。

这样的雕刻技法，大致按以下程序进行作业：

①先以石膏制成与作品大小相同的一件模型，作为雕刻时的样板，并确定三维尺寸。

②将大理石原石先以电锯进行粗加工，摆放在与石膏像的角度和位置相近的地方（照片2）。

③根据石膏像画上记号，对大理石进行重点凿削，使其与石膏像逐渐接近（照片3）。

④以电凿对大理石上画出记号的部分做较细致的加工（照片4、5）。因题材不同，其变化点（衣物的褶皱和头发的纹路等）越多，重点也越多，加工时间也会拖得更长。

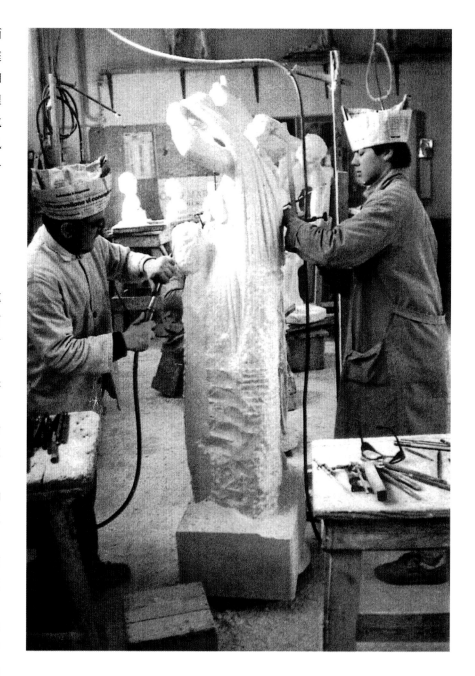

照片1 大理石原石

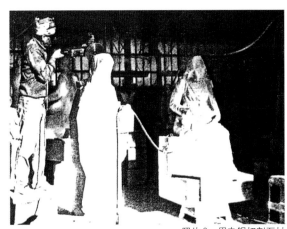

照片2 用电锯切割石材

照片3 石膏像

照片4 对大理石的测量
（依据对面的石膏像尺寸）

照片5 以电凿
对大理石加工

照片6 大理石像半
成品（面部和指尖这
些细部尚未完成）

站在最高处表情严肃的女神是阿弗洛蒂，下面着装跪着的是女神普修卡，她们被裸体的众女神簇拥着。这个构图也表现出，17世纪文艺复兴时期人们要摆脱宗教和王权的束缚，追求自由和博爱的美好愿望。

## 莫里斯之泉
### 森山大树（石胜所计划担当）

我们都把位于行宫庭园莫里斯广场上的喷泉叫作瀑布。

正式接受莫里斯广场喷泉设计的委托是在1991年5月，最初的预算为400万日元，但携带3、4张图纸面谒神近先生后，一下子预算增加了几百倍。这样，便给我们提供了一个大展身手的好机会。我设想在喷泉设计中引入希腊神话故事，营造一个普修卡和阿弗洛蒂对峙的场面，表现出庄严的紧张感。后来，为订制瀑布上的雕像，我带着自己画的草图飞往意大利的彼得洛山大。在那里，结识了雕塑界的泰斗弗兰克·德尔贝特及他的模型师普拉蒂尼，并与他们在一起工作了很长时间。其间，我也深深地为他们在雕刻创作上的高超技艺所折服。

意大利是一个能将建筑物与景观巧妙融合在一起的国度。在那里，有欧洲式的发达而又科学合理的美学观，以及相互之间的良好信用，可以坦率地阐述自己的立场和主张。这里很少有内耗效应，即便是房屋拥挤的小街小巷，人们也充分地利用有限的空间，并以花草装点与公共空间的连接处（窗、楼梯和阳台），处处表现出强烈的景观意识。

塑像制作工序：

①先由模型师用黏土将草图具像化；②以流体石膏糊在黏土像上制成模型，再用两脚规测出重点部位尺寸，并以三维表现；③按照石膏模型，将大理石根据放大尺寸锯割成雏形；④粗凿；⑤普凿；⑥细凿成形。

模型师普拉蒂尼

用模型师的双手制出的黏土像已被赋予了生命

以黏土制作的喷泉及其上面诸女神像

# 第2章……
# 造园施工中的技术体系

　　为了营造一个自然与人类持久融合的良好环境，首先应该对当地的自然状况和生活在这里的人充分了解。那不单单是做些收集数据资料，然后加以分析的机械式的工作；最好能够与自然深刻交流，并深入到风土人情一类的精神世界中去。此外，还要把握形成当地特色的自然因素。这一切都应归结为造园家的环境调查技术。

　　根据这样的环境调查及其分析结论，再形成自己的构想，并将其融入一个与自然共生共存的创意中去。接着，再从图纸上的各种具体设计来准确地体现出自己的理念，并使之具备施工条件。像这样完成的项目才会在时光的流逝中光彩依旧。在历史发展的各个阶段，各种各样的技术被采用，而且还会不断创造出新的工艺手段。将这些综合起来，就形成一个技术体系。

　　在第2章，我们将通过住宅区、基础建设、娱乐设施、公共建筑和商业设施等五个方面的案例来具体阐释技术体系在造园施工中的运用。

# 花园路及其周围的树林

## 一个四季都掩映在花木中的住宅区

志木新城住宅区

中央森林 2 号街。左边是银杏行道树,将来会形成绿色隧道

在东武东上线柳濑川车站前有一处平坦的地块,被分成 7 个住宅小区,这片由鹿岛建设开发的绿荫浓郁的公寓式住宅区,相互之间由花园小路连接着。石胜造园所参与住宅区里的部分造园工程以及物业管理工作。在这同一块地块内,原来水网密布到处分布着水田和高地,由于土壤条件不尽相同,因此在各街区树木的发育状况也千差万别。有鉴于此,我们在收集开发初期设计概念的同时,也营造了一个四季分明的绿化带,目的是让业主们能有一种生活在森林中的感觉。另外,我们还经常与物业管理部门的负责人沟通,积极参与日常的维护和环境管理工作。

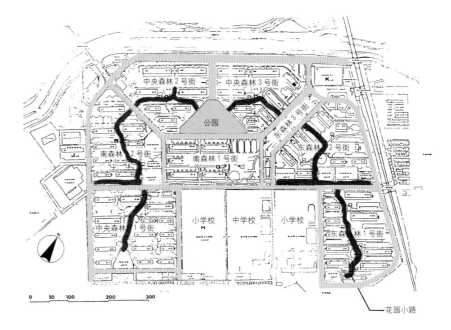

中央森林2号街

由于该街区在志木新城开发事业中完工时间较晚,故与南森林1号街、南森林2号街和东森林1号街相比,其建筑设计和造园设计的手法显得更为老道。其中,为了满足居民"要将这里建成志木新城中花木种类最多的街区"的愿望,每年都要追加栽培新品种的花木。为了保持足够的绿化量,树木均不做过多的修剪,并不断延长花期

住宅区公园(上图同)

这里原为一片排水状况很差的沼泽,杂草丛生。为此,在政府的号召下,一年进行6次清理,剪除较高的野草。生活在这里的人们都志愿来到这里参加义务劳动,最终使环境彻底改变

南森林1号街

这里的榉树从平成2~3年(1990~1991)开始迅速枯萎,16棵榉树最后死掉15棵。而且,倒木和折技也给居民带来一定的危险。平成5年(1993)1~2月,新的树木替换了原来的枯树,这些树木都是在崎玉县的深谷市经反复勘察才选定的。为使树木不再枯萎,撤走了地面的铺装,以扩大雨水渗透面积,并采取措施防止柳濑川的河水淹没施工现场。目前,树木生长良好

名　　称　志木新城住宅区
地　　址　崎玉县志木市
开 发 商　鹿岛建设
造园设计　MIDI综合研究所
造园施工　石胜所
绿地管理　石胜所
规　　模　占地面积35.5hm²
竣　　工　1988年

## 花园路计划的第1项是昭和48年 (1973)的海老名广场的花园路

在此之前,住宅区内的道路多为直线路。在海老名广场上的曲折道路表面,以精湛的工艺铺装上石块,还放上了雕塑小品,通过绿化使那里的景观为之一变。尤其是在街区入口处,还建有一个袖珍花园,从那里直至广场中央的商业街一带,矗立着成片的榉树,成为地区的标志。在这处景观获得成功之后,石胜造园所参与建设的住宅区项目越来越多,花园路的规划手法也被广泛采用,并使技术和设计水平进一步提高。

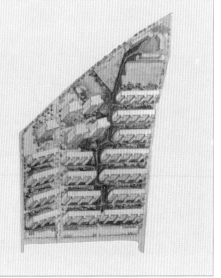

# 被休闲场所环绕的住宅

## 营造一个游乐设施无处不在的环境

东急新城我孙子住宅区

草坪广场

4号公园周围的住宅分布图

这是一处由东急不动产开发的住宅区，总面积达42hm²，中高层住宅加上独立住宅总计共1960套，位于国铁常磐线·成田线我孙子车站北800m的地方。石胜造园所的环境开发研究室从项目平面规划阶段便开始介入，并画出绿化平面图。同时，也对现场周围的自然环境进行了考察，并参照国内外住宅区开发的调查实例制定方案，随之提交了公用空地和住宅周围空间的造园设计。在这里仍沿用了昭和48年（1973）海老名花园路的模式，但在住宅区内第一次布置了水流。住宅与住宅之间由花园路连接，在各栋楼房前后左右都设有休闲空间。高层住宅的中庭被改建成地区公园，并计划构筑大面积的草坪广场、水杉广场、鸟雀广场和烧烤广场。另外，在公园里和花园路边随意摆放一些游乐设施，就连公园中设置的不锈钢雕塑小品，实际上也具有娱乐功能。

工程完成后的14年过去了，目前树木枝繁叶茂，绿荫浓浓。只是那些设施有些陈旧，已进入更新期了。

夜晚的草坪广场

烧烤广场上的户外台桌

4 号公园

入口广场内的雕塑小品,伊东隆道创作的《三曲线的关系》

4 号公园

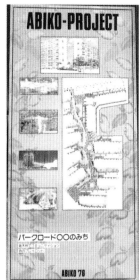

我孙子住宅区的标志牌

东急新城我孙子住宅区总体规划图

## 技术体系

我孙子住宅区是石胜造园所在倡导调查、规划、设计、施工、管理一体化，即推广技术体系初期参与的项目。

### ———— 第1阶段 ————
#### 环境开发研究室的作用

为了更好地掌握我孙子现场的情况，对现场周围的自然环境展开了调查，其范围从我孙子地区的历史到成为现代城市这一时期的全过程；在占有大量资料和信息的基础上，编制出我孙子商品住宅区的规划，并在其中引入舒适性、融合性和独特性这三个概念。

### ———— 第2阶段 ————
#### 在全公司范围内成立课题组

在环境开发研究室完成第1阶段的规划调研之后，从设计、施工和管理各部门抽调人员组成课题组。课题组成员均站在各自角度认真对规划方案提出修改意见，最后形成一个最佳方案。在这一过程中，也要多方面征求雕塑家、美术设计师和标志设计师的意见，为最终确定公园、花园路、开放空地和住宅区外围的全部景观设计理念做准备。

### ———— 第3阶段 ————
#### 把接力棒交给设计师

确定了方案和理念之后，就可以着手具体的技术设计工作了。一个优秀的施工设计，要兼顾到生活在这里的居民的安全性、景观的优美怡人、造价与功能之比、施工周期、造园施工与建筑施工的衔接和将来的物业管理等诸多方面。

### ———— 第4阶段 ————
#### 工程科与住宅造园的施工

事实上，早在施工设计阶段，造园绿化部工程科和住宅造园科就已在进行绿化栽培的准备工作。他们将设计中将要使用的树木，逐一加以检测，以便随时可搬入施工现场。此外，在对施工设计图详细分析之后，立即进入工程发包阶段，并确定现场暂设工程的配置方法。在其后一个较长的时间里，他们经常同承建者召开施工会议，以施工图为基础，随时解决施工中发现的问题，直至将设计图在现场完全具像化。

这里的公园和中高层空间的开放空地由工程科负责施工，而独立住宅的造园则由住宅造园科负责。

### ———— 第5阶段 ————
#### 组建城市绿地管理专业队伍负责日常维护

工程结束办完移交后，即由专业队伍负责物业管理。其作业形式和方法已被详细编入施工设计书中。无论当初的设计方案多么优秀，在工程竣工后，也离不开周到细致的维护和管理，否则，将很难保持良好的状态。树木的特征及其各自适合的环境是第2阶段就已讨论过的问题。现在大片的绿地已成为住宅区居民的一笔宝贵的财富。对绿地的维护问题，从规划调研至设计施工的各个阶段都给予足够的重视。

### ———— 第6阶段 ————
#### 环境再开发研究室

在项目初期便发挥了作用的环境开发研究室，在竣工后要重新考察现场，目的是了解完成后的项目是否完全实现了设计意图，例如孩子们在新住宅区里玩得高兴与否等等。通过这种跟踪调查，取得可靠的资料，对今后的学术交流活动会有所裨益。而在调查中发现的不足之处，是住宅区不断改进、不断完善的依据。

以上的这些实施步骤构成了石胜所的完整的技术体系，是石胜所一直倡导的造园理念。

**我孙子住宅区 7 号公园**

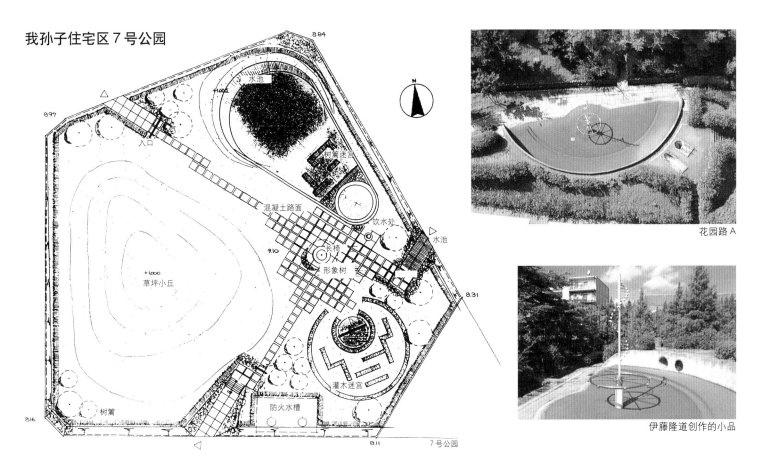

花园路 A

伊藤隆道创作的小品

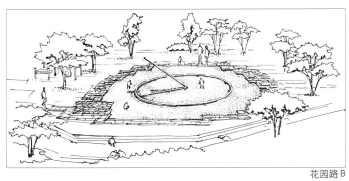

花园路 B

鸟雀广场

花园路 C
土城

| 名　　称 | 东急新城我孙子住宅区 |
|---|---|
| 地　　址 | 千叶县我孙子市 |
| 开 发 商 | 东急不动产 |
| 发 包 者 | 东急不动产 |
| 造园设计 | 石胜造园 |
| 造园施工 | 石胜造园 |
| 规　　模 | 占地面积 42hm² |
| 竣　　工 | 昭和 53 年 (1978) |

# 人车共存的广场

## 将人车共用路上的空间返还给居民

东急住宅桶川小区

东急住宅桶川小区是由东急不动产在崎玉县桶川市开发的中高层住宅，占地面积21954m²，居民327户，于昭和56年（1981）2月竣工。石胜所参与了小区周围的造园设计和施工；在这里，我们在对中高层住宅外的儿童活动场所进行调查研究的基础上，第一次在日本引入"人车共用路"的概念，使道路成为可进行户外活动的广场。

我们曾赴荷兰考察过人车共用路的实例，觉得完全适用日本的相关法规，只是设在住宅周围其建造成本会显得很高。但从小区住宅卖点增加的角度考虑，认为还是可行的。

"人车共用路"（Woonerf）一词在荷兰语中本是"农家庭院"的意思。这里指的是"居住地区"，是以人本位来对街道加以改造后形成的空间。

日前，把街道建成户外活动场所的举措得到日本各地的响应，优美的景观和怡人的环境正在不断涌现。

### 人车共用路的基本理念

参照荷兰于1976年9月颁布的有关人车共用路的交通法规，简单介绍如下：

①步行者可在人车共用路上的任何地点自由行走；

儿童也可以在这里自由玩耍；

②车辆行驶速度不能超过步行速度；

③驾车者不得对行人和儿童构成妨碍，步行者和儿童也不得对车辆造成不必要的妨碍；

④非指定地点不得泊车。

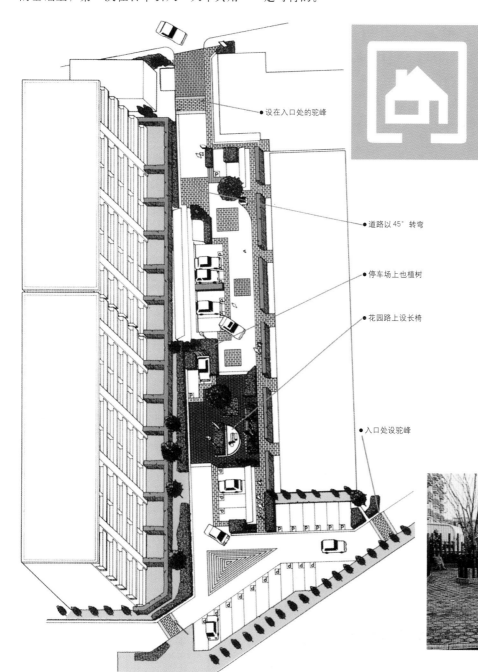

- 设在入口处的驼峰
- 道路以45°转弯
- 停车场上也植树
- 花园路上设长椅
- 入口处设驼峰

## 过去的街道

　　车辆在人们的生活中总是具有优先权，人们往往被赶到角落里去。即使是住宅区的街道，也给了汽车在交通上的优先权，是禁止儿童在路上玩耍的。行人往往要一边注意来往车辆，一边提心吊胆地走着。街道的建设和使用离人本位的户外活动场所功能越来越远。

## 人车共用路建成后

　　街道被赋予居住区域的概念，使驾车者、步行者和玩耍的儿童都平等地利用着这个空间。

　　具体地说来，是街道作为户外活动广场的作用更加突出，弱化了原来意义上的道路功能，在街道的配置和结构上都使车辆无法开得太快，从外面来的车辆很难从此处通过。停车场也被绿化起来。

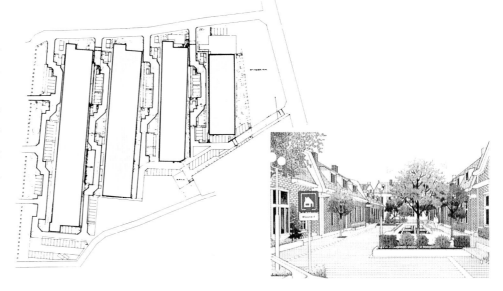

## 桶川住宅小区的人车共用路

　　桶川小区人车共用路的设计大致如下：

　　①入口处设驼峰（高15cm）。

　　②道路每隔30～40m便以45°拐弯。

　　③路宽5.5m，以满足消防车和急救车通行需要。但路面不同材质的铺装，使道路看上去要窄得多。如花园路部分的地砖、驼峰处的小石块和其他部分的摊铺沥青等等，

都大致以3m见方，并隔12～15m便有变化。

　　④花园路上设休闲椅，停车场上栽有不妨碍驾车者视野的树木。

　　⑤住宅墙根处有2m宽的步道与中间的人车共用路分离，并有一定的高低差。

　　⑥人车共用路上采用的标志与荷兰相同，这表明桶川小区人车共用路在设计上采用了与荷兰的人车共用路完全相同的理念。

| | |
|---|---|
| 名　　称 | 东急住宅桶川小区 |
| 地　　址 | 崎玉县桶川市 |
| 开 发 商 | 东急不动产 |
| 发 包 者 | 东急不动产 |
| 建筑设计 | 东急设计所 |
| 建筑施工 | 东急建设 |
| 造园设计 | 东胜所 |
| 造园施工 | 东胜所 |
| **人车共用路策划** | 东胜所 |
| 规　　模 | 2.2hm² |
| 竣　　工 | 昭和53年(1978) |

## 关于公寓式住宅区户外活动场所的调查

中高层住宅的居民多为有小孩的家庭。因此，我们对住宅区内开放空地的利用情况做了跟踪调查。

在桶川住宅区的调查分两次进行。一次是在昭和56年（1981）8月（入住后4个月），另一次是在昭和58年（1983）7月（入住后两年3个月）。在昭和58年（1983）的第15次日本道路会议的交通部会上发表了调查结果，题目是《在居民区中建设人车共用路的尝试》。其中的结论是，生活线上的街道建设关系到百姓的日常生活，应在得到当地居民理解和支持的前提下，进行深入细致的调查研究，广泛征求居民的意见，使制定的规划更完美、更切合实际。

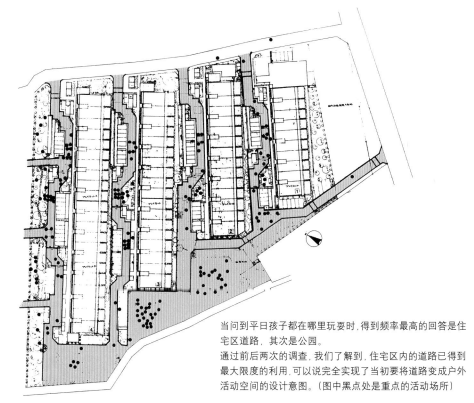

当问到平日孩子都在哪里玩耍时，得到频率最高的回答是住宅区道路，其次是公园。

通过前后两次的调查，我们了解到，住宅区内的道路已得到最大限度的利用，可以说完全实现了当初要将道路变成户外活动空间的设计意图。（图中黑点处是重点的活动场所）

**平日里孩子常去游戏的场所：**
1.空地 2.住宅外公园 3.住宅区内公园 4.住宅区内游乐场 5.住宅区停车场 6.住宅区内自行车停车处 7.住宅区内道路 8.住宅区外道路 9.商业街 10.校园 11.河流 12.寺庙·神社周围 13.其他 14.未回答

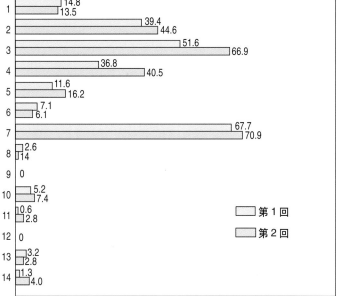

**回答可在这里惬意漫步的理由：**
1.放心地行走 2.有树，具有自然感 3.设计规划好 4.其他 5.未回答

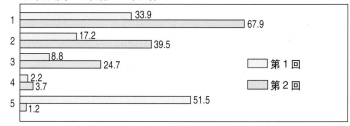

**日常主要的户外游戏：**
1.棒球 2.骑自行车 3.捉迷藏 4.跳绳 5.投球 6.滑旱冰 7.游泳 8.玩沙子 9.其他 10.未回答

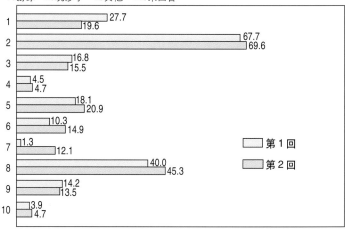

**在住宅区站着谈话：**
①方便 ②不方便 ③未回答

| | | | |
|---|---|---|---|
| | 65.6 | 18.1 | 16.3 |
| 第1回 | ① | ② | ③ |
| 第2回 | ① | ② | ③ |
| | 67.4 | 18.6 | 1.4 |

**在住宅区内行走有无危险感：**
① 有 ②无 ③未回答

| | | | |
|---|---|---|---|
| | 17.6 | 80.6 | 1.8 |
| 第1回 | ① | ② | ③ |
| 第2回 | ① | ② | ③ |
| | 27 | 71.6 | 1.4 |

### 荷兰的人车共用路设计手册

#### 人车共用路的设计标准

荷兰的人车共用路的设计标准与前面提到的交通法规同时颁布，并编成设计手册。这里择其要点简介如下。

#### 迫使车速减至与行人速度一样的具体方法

①设置人车共用路标志（使驾车者知道这是居住区）

②车道的不连续性（从驾车者的角度来看）

　　a 道路上设驼峰，宽2～3m，高10～20cm

　　b 道路走向曲折，每隔25m设置障碍物

　　c 路面铺设不同材料，使其看起来不像道路

③车道与步道之间不设分离带

④车道只保留必要的宽度（全宽4.5m左右，在60cm范围内调整）

⑤单向通行

#### 确保良好居住环境的具体方法

①明确划出停车区域(确保最大停车数)

②确保绿化面积、路面铺装材料的多样化

③确保花园路的数量，留出足够的居民活动空间

#### 出现人车共用路的背景

由于车辆为取捷径而从高密度的住宅区中通过，使住宅区环境遭到严重破坏，甚而有时还会发生交通事故，造成儿童的伤亡。因此，出现了这样的规划理念：在最小限度地保留车辆从捷径通过的权利的同时，将住宅区道路改造成行人具有优先权的空间。人们普遍认识到把街道的交通功能与作为户外活动场所的社会功能两者相互融合的重要性。20世纪60年代后期，在荷兰的德尔夫特市，首先开始了关于重建人本位生活环境的讨论，并于1972年制定出相关法规，1973年施行。1976年颁布的荷兰道路交通法，正式将人车共用路列为街路形式之一，迄今仍为各个城市所采用。从1978年到现在，在荷兰全国的180座城市里，建成800多条这样的道路。

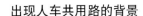

荷兰各城市中的人车共用路

# 常春藤和红砖社区

## 绿荫构成的活动空间

### 东急新城柏住宅区

由东急不动产开发的东急新城柏住宅区，是一片于1980年前后以街区开发为目标建起的郊区高档商品住宅。石胜所也参与了这里的造园计划、设计和施工工作。

"常春藤和红砖社区"当时被作为口号，要求各住户道边的造园都以常春藤和红砖构筑，以体现连续性和统一感。

从社区入口一进去，便是地砖铺成的广场，广场也是干道正面街心公园的一部分，广场上的山桃树作为这里的象征物加深了人们对社区的整体印象。各条道路两侧的行道树选用了不同的树种，以表现出季节感。另有绿道连接着社区范围内的小公园，居民不用走车道，经绿道便可直抵购物中心。

砖石广场

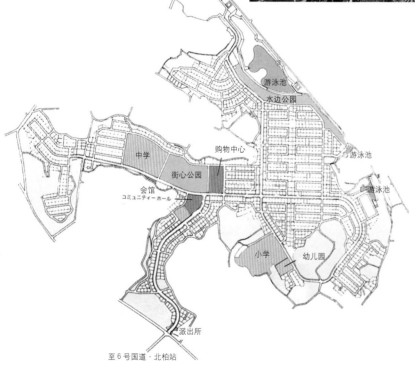

## 公园

在地块北侧，利用游泳池建起水边公园，这是一座可以观察水生植物的自然公园。在宽阔的草坪广场四周栽下落叶树的树苗。随着社区的发展，这些树苗已成长为浓密的树林。

与自然公园不同，在街心公园中有个以砖石构筑的广场，广场附近设有网球场和业主会馆。

## 对松软地面采取的措施

在网球场施工中，碰到了松软地面，令人担心竣工后会发生地表沉降。为解决这一问题，则以水泥系列的土壤改良材料填充至距地表1m以下，表面再以混凝土摊铺成耐压层。这样便可使地表沉降控制在最小程度。

网球场

各家房后地块上的绿道

## 建在低湿地上的绿道

在绿道两边住户背面的地下埋设着排放雨水的涵洞,上面盖了一层土,但承受不了过重的荷载,因此只能作为步道使用,沿着这样的绿道可直接到达购物中心。

### 道路两侧由常春藤构成的景观

为了淡化因地块的高低差产生的砖墙的压迫感,将路边的围墙分成上下两段,让上段后移,上下错开,下端变成一个花坛,在花坛里栽上常春藤。

### 门柱与建筑外墙做相同的处理

在统一以红砖围墙构成的街道两侧,单独将门柱与建筑外墙做相同的处理,从而表现出各个住户的不同特点。

### 各家的形象树

在各家的门边都栽着一棵高4~5m的大树,以作为各家的象征。随着形象树的增多,也逐渐地具有了街路的象征作用。

## 绿道管理

居民之间的相互来往和交流在现代社会中正逐渐淡化。为此,我们试图通过对绿地和绿道的管理重建过去那种居民相互交流的生活环境。如初冬时节,组织居民一起来清扫绿道的落叶等等。同时,根据绿化合同筹集用于绿地管理的资金,并通过资金的合理使用,使绿地得到良好的维护,而且面积日益扩大。这些,也促进了居民之间的相互交往。

## 绿化合同

某一特定区域的土地所有者根据居民的意愿与市长或村长签订的合同,是一种契约式的绿化制度。合同一旦签订,便可获得绿化补助金和绿化树木采购费以及接受栽培和管理方面的指导。合同内容包括:绿化对象区域、花木栽培场所、树种、围墙和栅栏结构以及违约责任等。这一形式从昭和48年(1973)起根据《城市绿地保护法》实施。

柏住宅区入口

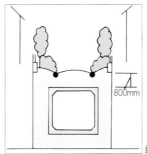

800mm

绿道地下的涵洞

由红砖和常春藤统一起来的道路景观

名　　称　东急新城柏住宅区
地　　址　千叶县柏市
开 发 商　东急不动产
发 包 者　东急不动产
监　　理　宫胁檀建筑设计研究所
造园设计　石胜所
造园施工　石胜所
规　　模　约60hm²
竣　　工　昭和57年(1982)

# 简洁明快的景观设计

## 一个让人想到地中海旅游胜地的高地社区

21 期矶子湾海边住宅

这片由东急不动产规划开发的中层公寓式住宅，位于距横滨市中心不过5km的一块高地上，东面可望到根岸森林和横滨港湾，西北与丹泽山脉和富士山遥遥相望。占地面积3.58hm²，居民232户（A栋84户、B栋79户、C栋69户）。此外还有一个网球场。石胜所参与了占地内的造园规划设计和施工，并在完工后接手绿地管理工作。

这里的绿化和树木栽植规划，与南欧风格的住宅设计相适应，保证了住宅区的开阔视野。石胜所通过在宫古岛的试验性栽培，掌握了热带植物的培育方法及其造园技术，将60多棵种类不同的椰树栽植在矶子湾海边住宅区内，营造出南欧特有的热带风情。另外，在移交给横滨市管理的儿童公园里，也与住宅区的景观对应，栽有椰类树木，弥漫着浓郁的旅游胜地的气息。

南欧风格的袖珍公园（配置图中B）

21期矶子湾海边住宅配置图

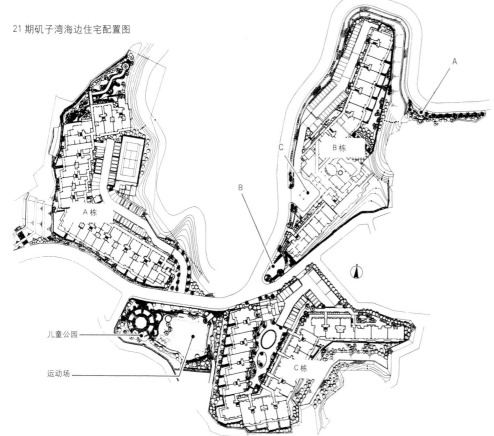

A栋

B栋

C栋

儿童公园

运动场

道路两侧也植有椰树（配置图中A）

住宅入口（配置图中C）

由于地势高，视野十分开阔（左页配置图中B）

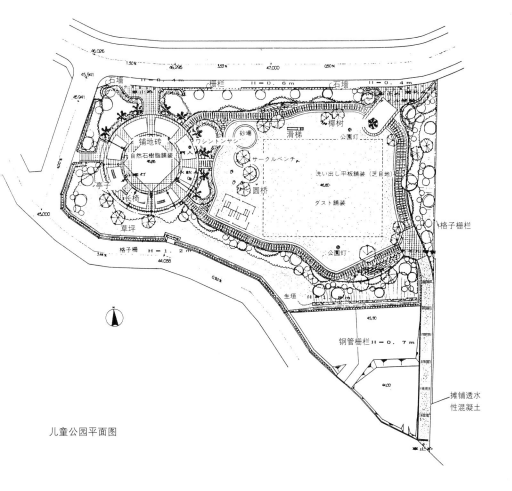

儿童公园平面图

从儿童公园望运动场和住宅楼

名　　称　21期矶子湾海边住宅
地　　址　神奈川县横滨市矶子
开 发 商　东急不动产
发 包 者　东急不动产
造园设计　石胜所
造园施工　石胜所
规　　模　占地面积3.58hm²
竣　　工　平成3年(1991)

# 有多种形态的公用空地

## 设有剧场和广场的新型城市居住空间

西户山高层住宅

为了给大藏省的公务员提供合适的住房，日本第一次将民间活力导入公共领域，并在这一理念的指导下，开发了这里的公益性高层住宅。住宅楼总计3栋，楼高25层，可供576户居民入住。大楼底部设有18间店铺和2家临床医院。楼前按照莎士比亚鼎盛时期的伦敦公共剧场样式建造了一座几乎一模一样的露天剧场，名为"地球座"。低层部分的施工由矶崎新和泉真也二位监理，石胜所则参与了占地内的造园规划、设计施工和竣工后的绿地管理。

在该项目中，石胜所从树木移植阶段起便参与规划，随后的占地内造园规划以及最后的设计和施工，都是与建筑施工同步进行的。

占地内分布的广场、公园和绿地均为公用空间。其中包括文艺复兴时期广场、巴洛克广场和古罗马剧场式的圆形广场，此外，还有类似儿童公园的角落和设置雕塑小品的广场。这里处处都展现出城市型居住社区应有的面貌。

全景

| | |
|---|---|
| A 林间广场 | H 广场C |
| B 北栋入口 | I 小花园 |
| C 中栋入口 | J 圆形广场 |
| D 南栋入口 | K 树篱园 |
| E 剧场入口 | L 花坛广场 |
| F 广场A | M 游泳池 |
| G 广场B | N 雕塑小品 |

设计新颖的游泳池

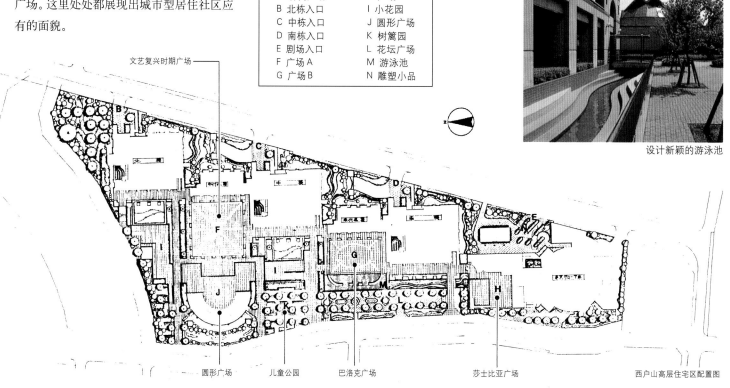

文艺复兴时期广场

圆形广场　　　儿童公园　　　巴洛克广场　　　莎士比亚广场　　　西户山高层住宅区配置图

64

宫胁爱子的作品《空日》

露天圆形剧场

标志（石胜所设计）

## 造园规划

1. 统一的样式和多种自然形态的完美结合

乔木栽植与建筑对应，一律都采取直线走向，成行成列井然有序，而中低树种则以曲线分布，并与赏心悦目的灌木花混栽在一起。

2. 营造出季节感

不言而喻，树木花草具有缓冲带的作用，可以弱化大楼给人的压迫感。但在不同季节开放的鲜花则更会让人感受到一年四季的更替。

3. 富有人情味的空间

以花木构筑出类似迷宫的小路，不管是游戏还是散步时总能与绿树红花相遇。

4. 勾勒出森林的形象

以成列的乔木提高了住宅区的品位，并勾勒出森林的形象。对原有的银杏和榉树也进行移植利用。

| | |
|---|---|
| 名　称 | 西户山高层住宅 |
| 地　址 | 东京都新宿区 |
| 开发商 | 新宿西户山开发 |
| 发包者 | 新宿西户山开发 |
| 监　理 | 矶崎新　泉真也 |
| 建筑设计 | 三菱地所 JV |
| 造园设计 | 石胜所 |
| 造园施工 | 石胜所 |
| 绿地管理 | 石胜所 |
| 规　模 | 占地面积约 1.85hm² |
| 竣　工 | 昭和 63 年（1988） |

杜鹃使建筑物周围显得更亲切

成行的山桃树

# 构建带公共庭院的街区

## 关于加强公共空间建设的提议

### 东急千福新城

由东京高速电铁开发的千福新城，从静冈县国铁三岛站乘车只需 30min 便可抵达。这是一片沿富士山麓和爱鹰山缓缓的东南坡展开的开阔的住宅区。开发面积 83hm²，从昭和 56 年（1981）开工兴建商品住宅，逐渐形成一个具有鲜明景观特点的新街区。

石胜所承担了其中的绿地规划、造园设计和现场施工工作。在主干道两侧的住宅前，设有一条绿化带，其宽度从路边至住宅前约 3m，是一种半公共型的空间。在街区中，将一般道路的两侧也划出环境绿化带，作为居民共用的庭园，也是优美的道路景观。

另外，在位于北侧的高级住宅区"花园广场"上，留出一块面积很大的地块，利用其起伏的地势构筑成一个富于变化的庭园。

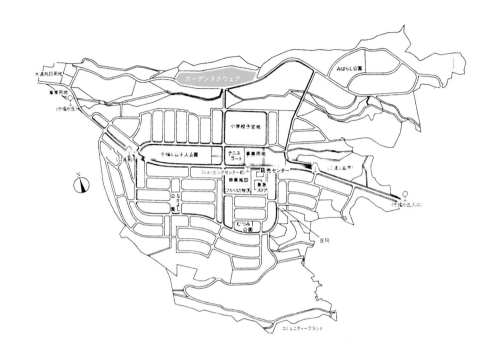

高级住宅区"花园广场"

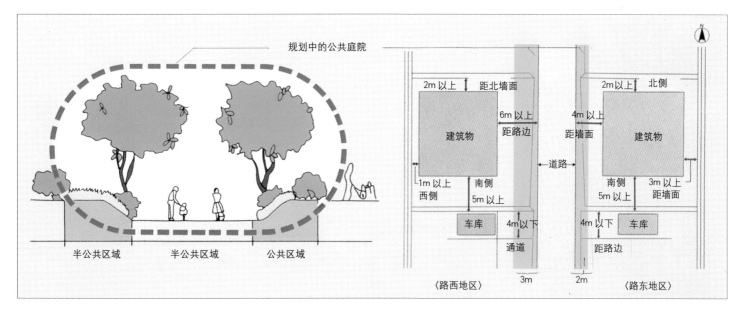

## 庭园街区的构想

　　构想的中心意思是设计出这样的方案：在每一个住宅集中的街区，都构建一处充满庭园气息的空间。

　　把道路（公共空间）两侧宅基地上的开放车库以及面向道路的绿化带（半公共空间）规划成一体，创作出街区的连续感和韵律感，让走在这条路上的人有在庭园中漫步的感觉。

以富士山为远景的花园住宅街区

## 设计上的要点

　　①以道路为中心，并将其看作是公共庭院

　　②创造出庭院的连续性

　　③各庭院的氛围应有自己的特点

　　④与周围的自然景观融合。

　　远景为富士山，背景是周围的山峦，近处便是街区。要将这些自然景观与街区景观融为一体。

　　融合的重点是：

　　●应重视绿色的连续性

　　●建筑物之类的人造设施不可太显眼

　　●电柱和电线之类有碍观瞻的东西应尽可能遮掩起来

走在路上的人感到像是在庭园中漫游

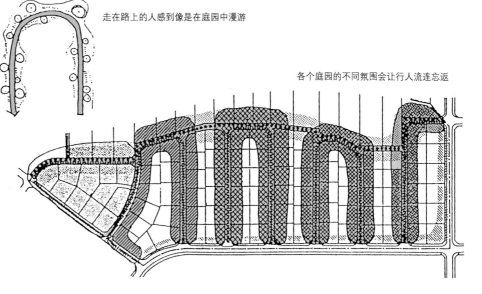

各个庭园的不同氛围会让行人流连忘返

由树木营造出具有一定韵律感和连续性的街区

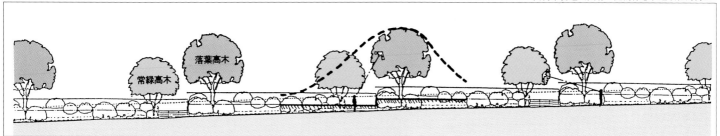

"花园广场"南侧宽敞的坡地被草坪覆盖，不同草种显出深浅不同的绿色，看上去这里像是高尔夫球场

"花园广场"北侧的车库和通道具有一种开放感，并通过栽植的花草树木使其相互连接

## 依靠环境协议建设的街区

以维护和开发优美的居住环境和街区为目的，对宅基地和建筑物制定了相关标准。这样，便可以依据全面的街区规划，建设良好的居住环境，并使之与周围优美的自然环境相融合，对已建成的绿地则做到精心维护。

名　　称　东急千福新城
地　　址　静冈县裾野市
开 发 商　东京高速电铁
发 包 者　东急不动产
造园设计　石胜所
造园施工　石胜所
规　　模　开发面积83hm²
竣　　工　平成6年（1994）

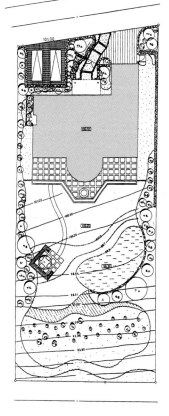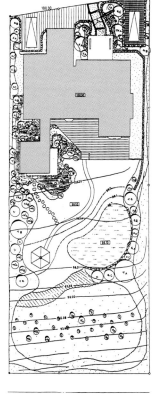

"花园广场"平面图

## 以颇具地区特色的材料来构建景观

石胜造园的静冈营业所开张后的第16年，承接了千福新城的工程。营业所将16年里积累的使用当地各种材料的经验和技艺，充分地应用到千福新城的施工中去。这里重点举出石材选用方面的例子。

①天城产水孔石：用于砌石和景石

②伊豆产六方石：用于缘石和台阶

③富士山大泽石：用于砌石、景石、路面石和缘石

④裾野产的熔岩：用于砌石和景石

⑤伊豆长冈产的伊豆六石：用于荒面砌石和横砌石

⑥伊豆大仁产红色熔岩滓：当作砂砾铺装用

⑦天城产的火山灰：与土壤凝固剂混合，用于土色地面的铺装

在"花园广场"中，多以伊豆六石来构筑门侧墙和荒面砌石，颇有新鲜感。以⑦的火山灰铺装的土色地面则显得庄重大方。

千福新城在建设景观优美的街区方面取得的突出成绩，受到各方面的表彰。

● 昭和62年（1987）获住宅基金绿化奖

● 昭和63年（1988）获静冈县"50最佳街区"称号

● 平成4年（1992）获城市景观大奖

由火山灰铺装成的土色地面和伊豆六石荒面石砌的车库

六方石的台阶

以伊豆六石荒面石砌的门侧墙

以伊豆六石横砌的施工现场

伊豆六石的门侧墙和台阶

泉住宅区的花园住宅

# 创建具有公共庭院的街区

## 成熟的北美风格景观

东急新城泉住宅区

东急新城泉住宅区是由东急不动产开发的居住区。从仙台市中心乘车约20min便可到达新城。这是一片被绿荫覆盖的高地，开发面积164hm²，预计可入住居民1894户。石胜所承担了住宅区的造园规划和施工。

占地内设有儿童公园和街心公园，由绿道和行道树将公园连接起来，并编织成一个绿色网络。

商品住宅区共分成普通住宅、"花园广场"、"花园住宅"和"常春藤广场"等4个街区，以满足不同层次的购房者的需要。

其中的花园住宅部分，是以"建设面向21世纪的宽敞居住空间"作为设计理念，借鉴了北美地区的环境构筑手法，成为日本东北地区最早开发的建筑与环境一体化的高级住宅区。小区的划分以800m²为单位，是新城中最大的街区，可容72户居民入住。

这里还以平衡自然和人类的关系为主题，借助于起伏多变的地形和分散的树木，构筑出一个具有开放感的空间。

### 景观形象的创造与开发理念相适应

花园住宅区的主要理念是"人本位的居住环境"和"成熟的街区"。这里是一处令居住者自豪、让来访者振奋的美丽街区。

这里构想的新型居住环境，是一处高速交通网密布、可提供面向21世纪的经济和精神上发展空间和崭新生活方式的地方。生活方式是一个动态的概念，它应该

以暖色调材料铺装的街道

松树为住宅区原有树木，后经移植，成为花园住宅区入口的象征

完全与人工功能方面的都市性质和自然非功能方面的娱乐性质相融合。在这里，以"自然和开放"作为景观设计的主题，试图在开放的条件下进行街区建设。

作为一处体现设计理念的成熟景观，它不是某个层面的或局部的东西，而应该是一个立体的和综合的创造物，能以不断成熟的要素构建三维空间，呈现出人与人、人与物和物与物相互叠印的姿态。从人与自然的相互关联方面，可分为 ①自然的成熟感；②自然与人工融合的成熟感；③人工的成熟感等。但是，成为主题的是②。能够具体表现出自然的成熟感的是由分散的树木和草坪构成的景观。尤其是路边的宽敞的草坪（公共庭院），具有鲜明的花园住宅特点。

花园住宅街区入口。设计中注意到标志、象征树、地面形态和建筑物之间的相互对应关系。行道树是参照仙台市青叶大街的榉树配置的

住宅中日式房间前的日式庭院

主干道边的绿道较宽，以确保行人安全

### 由栽植的花木构造的
### 花园住宅区优美景观

在制定花木栽培规划时，必须要选择那些易于在当地成活、长大后造型优美、成本又不太高的树种。在该项目中，由于是以人造的建筑物和自然生长的树木相融合构成优美景观为前提，因此，以针叶和落叶乔木与灌木和地面植被共同营造出整体景观，即所谓的复式栽植法。此外，还以七叶树和百合作为象征树，使街区具有统一感。

主干道边的绿道

与 5 丁目住宅区毗邻的儿童公园

中央公园草坪广场上的木制游乐设施受到
孩子们的欢迎

中央公园中的樱花高
地上的几棵红松还留
有当地风情的印记

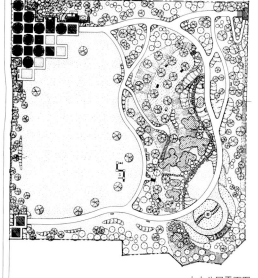

中央公园平面图

普通住宅和绿道以及宅基地边上的树篱

## 公园·绿地的规划

在公园·绿地规划中，以"宽敞、舒适、新生活"为街区建设的理念，并使公园绿道的作用得以充分发挥，使之成为街区景观的主体。

在分阶段的泉住宅区开发中，要使已建成的街区与将要建设的街区具有共同之处，这样才会以统一的格调构建出新城的街区，并加深人们对泉住宅区系列化的印象。

中央公园和儿童公园都分别具有运动、游戏和自然观赏等功能，由绿道编织成的便利的交通网络，将街区各处连成一体，拓展了居民的日常生活空间。

在公园和绿道的花木栽培作业中，改良了还原土壤和不透水的黏土层，而且对栽植树种的选定和保留树的移植等问题都进行过反复的研究。

名　称　东急新城泉住宅区
地　址　宫城县仙台市
开发商　东急不动产
发包者　东急不动产
造园设计　石胜所
造园施工　石胜所
规　模　开发面积 164hm²
竣　工　平成 10 年（1998）

# 緑の丘の"永く住める街"
## 土気南地区の大型ニュータウン「あすみが丘」

# 建在绿丘上的街区

## 土气南地区的大型新街区——"绿丘"

位于千叶市绿区东端的绿丘正在按照土气南地区规划进行开发，其开发面积为313hm²。石胜所在这次开发事业中参与了公园绿地的规划设计和施工管理。

全部占地的12.5%均被规划为公园绿地，绿化网络的起点是占地9.15hm²的地区性的"创造之林公园"。创造之林公园既是该地区的重要景观，又是附近居民休憩的场所。绿丘地区的开发规划作为今后住宅区开发的样板，获得很高评价。

规划的基本方针是以绿化带的建设来构筑一个具有地区自然环境和人文景观特色的街区。开发中，与住宅配套建设的还有毗邻规划区占地约100hm²的综合公园"昭和森林"，以及规划区内的地区公园、街心公园和儿童公园。

绿丘的"创造之林公园"

绿丘的21期工程

创造之林公园

# 心中的绿洲
## 一处引发思乡之情的景观

绿丘的创造之林公园

从安全着想，水深只有50cm，并在水中设栅栏

环游路

从樱行道树中穿过的环游路

在人类生活的环境中，都需要有一定的绿色空间，在向自然的回归中引发出思乡之情。创造之林公园就是这样的绿色空间，公园以"碧水·绿地·太阳·健康"为主题，是土气南地区的中心公园。公园中有水面开阔的水池，成为孩子们喜欢的游戏场所。

## 基本方针

①对9.15hm²的占地充分开发，成为视野开阔的公园

②水池设有戏水设施

③设有多功能运动广场

④设有居民健康管理机构

⑤具有儿童公园功能

## 区域划分和设施配置

区域划分与地形吻合，在开发区域的中心位置分布平时利用率较高的运动广场和休闲广场。不设置深水池等在管理上难度较大的设施。

●**休闲广场** 广场中心设有雕塑，成为土气地区的标志。另外与主通道的歧路对应地开辟阶梯状广场。

●**游戏广场** 利用坡面辟有老人角和儿童角，并配置大小不同的木制游乐设施。

●**自由广场** 这是一个可进行棒球比赛和举办运动会的宽阔场所。平时，经常开展少年棒球和足球运动。

●**临水区** 在水中设有戏水区、池中岛、小桥和岸边沙滩。从安全着想，水底坡度缓和，设有栅栏和醒目的标志。

●**环游路** 周长1.2km的环游路不仅可以用来散步，还配置了木制的器械，以

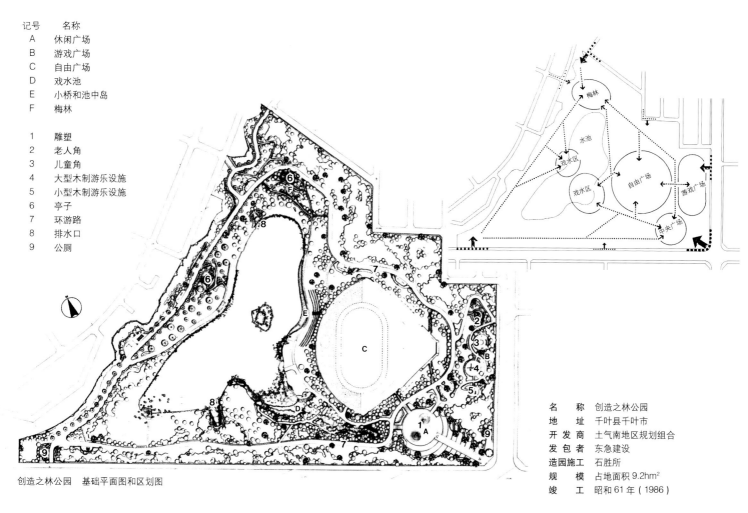

| 记号 | 名称 |
|------|------|
| A | 休闲广场 |
| B | 游戏广场 |
| C | 自由广场 |
| D | 戏水池 |
| E | 小桥和池中岛 |
| F | 梅林 |
| | |
| 1 | 雕塑 |
| 2 | 老人角 |
| 3 | 儿童角 |
| 4 | 大型木制游乐设施 |
| 5 | 小型木制游乐设施 |
| 6 | 亭子 |
| 7 | 环游路 |
| 8 | 排水口 |
| 9 | 公厕 |

创造之林公园  基础平面图和区划图

| 名　称 | 创造之林公园 |
|------|------|
| 地　址 | 千叶县千叶市 |
| 开发商 | 土气南地区规划组合 |
| 发包者 | 东急建设 |
| 造园施工 | 石胜所 |
| 规　模 | 占地面积 9.2hm² |
| 竣　工 | 昭和 61 年（1986） |

供人们体育锻炼用，对提高居民的身体素质起到重要作用。

●梅林　梅林位于南坡向阳处，每到春季是附近的居民最愿意去的地方。这里栽植的灌木和花草也表现出季节的变化。

## 交通指南

正门位于开发区域中心规划路交叉点上。另有可供自行车和公务车辆通行的辅助入口 3 处；仅供行人通过的入口 4 处。

## 规划施工上的重点

①将现场的红土与澎土岩混合，经辗压后作为面积 1.4hm² 的水池防水手段。

②为了使景观水池也具有水量调解功能，在岸边设有安全栅栏、水位标志，并划出用于戏水的浅水区，也确保游人安全。

休闲广场上的雕塑《通向明天的彩虹》（作者内田和孝）

水边护岸使用了大约 1000t 木曾石

环游路及路边的运动设施

# 创建领先 100 年的居住环境

## 兼具都市和娱乐功能的高级住宅区

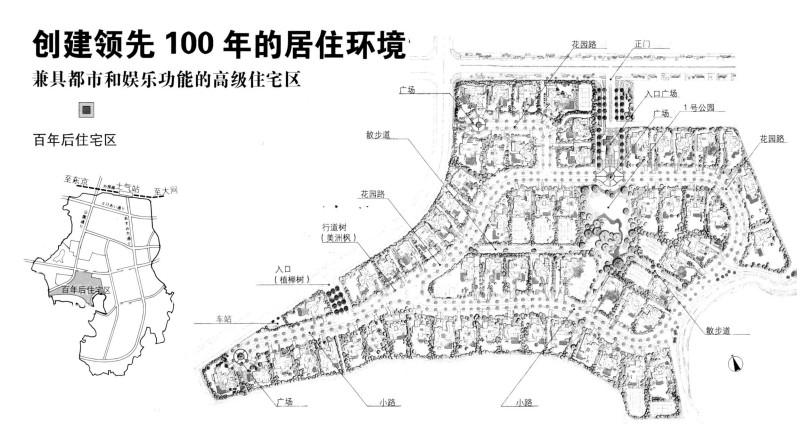

百年后住宅区

该项目系由东急不动产规划开发的超高级住宅区，它诞生在人们对日本的居住环境日益恶化的一片抱怨声中，试图创建一个丰富多彩、具有国际水准的新生活空间。

石胜所参加了该项目的造园规划和施工以及竣工后的绿地管理。

规划区域位于国铁外房线土气站前占地 313hm² 的绿丘西南，对面是 9.2hm² 的创造之林公园，加之与社区毗邻、占地约 100hm² 的昭和森林公园，构成一个优美的绿色环境。

### 环境维护管理系统

为了使优美的居住环境长久地符合规划要求，应该与居民签订环境保护协议，将环境保护的各种条件都明文固定下来。诸如，禁止分割地块，各家地块上宽约 6m 的正面庭院作为半公共空间不允许建造房屋，应该保持建筑物原有形态和色彩等等。在街区入口的正门处，设有门房，24 小时有人值守。在其他区域也有人巡回

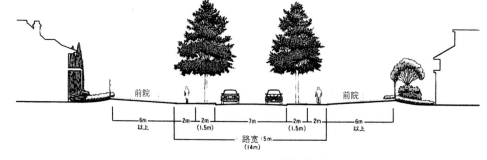

街道及其隔离带截面图
（ ）内数字为隔离带宽度

管理，负责花木绿地和正面庭院的卫生和收集各家的垃圾，并为住户提供房屋维修等方面的生活服务。

### 绿化目标是整个街区的庭园化

总面积约 7500m² 的中央公园位于街区的中心部。从各个街区可以很方便地来到这里，周围辟有 3 条散步绿道。在主入口、副入口和街道两侧分别栽有百合、榉和美洲枫等各种形象树。

### 中央公园（一号公园）

中央公园以英格兰式风景庭园作为设计理念，公园中有缓缓起伏的草坪和显眼的乔木，再配以流水、小桥和西洋式亭榭，勾勒出一幅美丽的图画。

名　　称　百年后住宅区
地　　址　千叶县千叶市
开 发 商　东急不动产
发 包 者　东急不动产
监　　理　上山良子
景观规划　石胜所
造园设计　石胜所
造园施工　石胜所
绿地管理　石胜所
规　　模　开发面积 17.4hm²
竣　　工　平成 5 年（1993）

中央公园以英格兰式风景庭园作为设计理念（其余 3 图同）

汽车调头广场上作为终点标志的高树

## 街道规划

从街区内宽 55m 的主入口和宽 24m 的副入口伸出的街道边分别植有 4 列百合行道树和 3 列榉树,以此表现出街区的特点。

从主干道上看街区

街区内的主干道是由环状分布的林荫道和由此向北和西延伸的歧路构成。林荫道的走向被规划成非直线形,以和缓的弯曲来突出道边的美丽街景,而且利用地势,形成约 3% 的漫坡。

街道规划时,要保证林荫道宽不小于 15m,歧路不小于 14m,路边还栽有美洲枫树。在歧路终点处设一汽车调头广场,直径约 28m,其中心还有个直径 8m 的小岛,栽着一棵作为终点标志的高树。

从栽有美洲枫树的街上眺望住宅

## 个性突出和风格鲜明的住宅

百年后住宅区里共有 60 多幢住宅，总占地面积 17.3hm²，平均每幢房屋的规划占地面积为 1500~3300m²，其占地面积之大，是在过去开发的商品住宅中所不曾见过的。在美国洛杉矶的 RNM 设计事务所的大力协助下，建成后的住宅具有地道的美国气派。为了与住宅的风格相匹配，还配置了游泳池和正面庭院，使这里成为令世人瞩目的、并会在日本住宅史上留下一页的高级住宅区。

与房前庭院要统一的设计理念不同，建筑物应该追求个性，具有自己的特色。这里采用了近年来流行于美国的 11 种住宅样式。其中有美国味十足的"东海岸风格"和源于南欧的"地中海风格"等。在规划设计时，不使风格相同的住宅并列在一起。

石胜所根据不同风格和样式的住宅，规划设计出与之相配的庭园，并提出配套的入口和围墙的原始图样，交给承包商构筑或制造。

## 占地内的花木栽植规划

### ●路边树木和花草

在房前庭院的围墙内侧，在一定纵深范围内要进行绿化，以加强占地的纵深感，并成为街区总体上具有统一感的要素。

### ●门前区

在中心位置，如同行道树一样栽植针叶树，将客人引向玄关处，针叶树的挺拔感与地面植被的柔软感被融合在一起。

### ●主院区

突出开放式的宽阔草坪，依据每幢建筑的不同风格，选择合适的树木和花草加以装扮。

当代地中海风格住宅

古朴风格的住宅

当代美国东海岸风格住宅

### ●后院区

确保有足够大的草坪面积，营造一个让居住者感到心情舒畅的空间。

### ●周围绿化带

在建筑物后面形成绿色的背景，并衬托出街区的轮廓，树木以针叶树为主。

### ●隔断式绿化带

以中高尺寸的树木为主构筑成树篱，遮断视线，目的是保证邻里之间的私人空间不被骚扰。

造园规划概念图

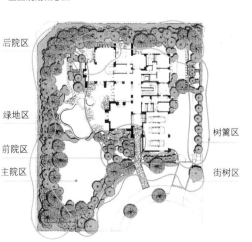

# 创造丰富多彩的生活形态

## 营造独具特色的公共空间

■

绿丘 21 期住宅·绿丘花园

街景

### 以花坛和围墙统一起来的街区

### 绿丘 21 期住宅

这片由东急不动产开发的高级住宅单元，占地面积 660~1350m²。每栋建筑面积 240~400m²。在土气地区共有 3 处，成为各自独立的街区。这里的造园规划和设计施工都是由石胜所承担的。街区四周有宽 6m 的道路，住宅围墙一律从界线处后退 1.2m 沿墙根以石块砌成花坛，成为半公共的绿化带，街区的整体形象主要是靠这样的绿化带统一起来的。半公共绿化带不准栽种规定范围以外的花木，而且由专人统一管理。

街区内住宅有 3 成为日式建筑，7 成是西洋建筑，在建筑风格和造型上都各有特点。

### 造园规划

庭园完全是按照每栋房屋的不同风格和样式来设计的，使之成为景观中的有机部分。作为置景手段，采用了蔓亭、烧烤台、砖砌花坛和喷泉等形式，墙边树木 6 成以上是落叶树，从街道上望去房屋在绿荫中若隐若现。

住宅区内道路。路边无电柱，视野开阔。路上设有标志性驼峰，既加强街景的观赏性，也降低了通过车辆的速度

名　　称　绿丘 21 期住宅
地　　址　千叶县千叶市
开 发 商　东急不动产
发 包 者　东急不动产
造园设计　石胜所
造园施工　石胜所
竣　　工　平成 2 年（1990）

自然公园部分的效果图。停车场设在公园地下

## 配置各种庭园的住宅区

# 绿丘花园

同样是由东急不动产开发的高层公寓，由石胜所承担了住宅区的造园规划和施工。这里的公寓住宅区置景手法源于我孙子住宅区中花园路的设计理念，造园的总体水平很高。

于平成 10 年（1998）提前完工的绿丘花园，各栋楼之间不是以花园路连接，而是通过坐落在高楼周围设有景点的庭园凝聚在一起的。景点的设置充分体现出形象的设计理念，使空地变成一座宽敞的庭园，公寓楼则围在庭园四周，庭园形态由外向内逐渐变化，在整个占地范围内分成

传统花园、自然花园和现代花园等风格迥异的 3 个部分。

住宅占地总计 8.4hm²，包括一栋 30 层的超高建筑，一共 15 栋公寓楼，可入

住居民 1500 户。90% 的停车场建在地下，67% 的占地为公共空间。公共空间全部建成庭园，为居民提供了一个理想的居住环境。

**各区域栽植的树种**

| 传统花园区 | 入口区 |
|---|---|
| 有优美树冠的树木 | 象征性树木 |
| 紫杉、冬青和黄杨等 | 百合、白橡和榉 |
| 自然花园区 | 外围绿化区 |
| 是山野特色的树木 | 以地产树木为主 |
| （以落叶树为主） | （常绿树） |
| 榉、四照花、枫、紫薇和樱等 | 山桃、白橡、百合和木犀 |

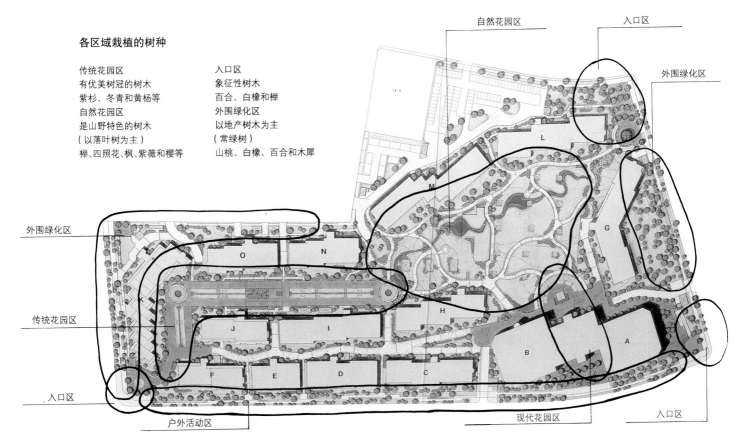

地块周围是宽 5.5~10m 的绿道，以水杉为行道树

现代花园。花园地下是停车场，中间的水流沿阶梯而下，成为一段段的小瀑布。由于设在停车场上面，要求构筑材料必须轻质化

现代花园中设有两处水流系统，采用铜银离子灭菌，以避免水中有藻类生长。因此，不管多久也不会散发难闻的气味，孩子们在水中玩耍也不会滑倒。这部分整体建在停车场上

| | | | |
|---|---|---|---|
| 栋　　数 | 68栋（住宅14栋、停车场2栋、亭子2栋、垃圾站6栋、自行车库44栋） | 绿化面积 | 27 830m² |
| | | 绿 化 率 | 33.13% |
| 居 民 数 | 1500户 | 占地面积 | 83 992.65m² |
| 人　　口 | 4800人（平均每户3.2人） | 建筑面积 | 237 343.08m²（含车场） |
| 人口密度 | 572人/hm² | 建筑最大高度 | 超高32层1栋99.90m |
| 可停车辆 | 1500台 | | 普通8~14层7栋43.20m |
| | | | 4~7层6栋23.20m |

两侧入口。与创造之林的主入口对应，辟有宽阔的广场，那多少有些起伏的地势与周围景观十分和谐

入口处的庭园。两侧植有粗大的榉树，成为入口处的象征。弯曲的道路使向里面走的人不会直接看到庭园部分

圆形柱廊。柱直径为1.5m高4m，以玻璃钢一类的轻质材料制成，夜间配有景观照明

名　　称　绿丘花园住宅区
地　　址　千叶县千叶市
开 发 商　东急不动产
发 包 者　东急建设
监　　理　东急设计
造园设计　石胜所
造园施工　石胜所
绿地管理　石胜所
规　　模　8.4hm²
竣　　工　平成 11 年（1999）

# 展现四季美景的街区

## 与高尔夫球场毗邻的郊区住宅

■

### 季美森林高尔夫球场与商品住宅的一体开发

近年来，对居住环境的要求明显地呈现多样化的倾向，当务之急是要迅速扭转把郊区住宅仅仅看作是"睡觉"和"住人"的房子那种过时的观念。然而，目前正在东京近郊地区大张旗鼓地建设老式的街区，它根本无法适应新的形势的发展，也满足不了购房者更加苛刻的要求。

在这样的背景下，以创建新的居住环境为目的的项目出现了。它具有鲜明的地方特色，与周围自然环境融为一体，人们不仅可以在这里居住，也可以在这里休闲和娱乐。

由东急不动产开发建设的季美森林，坐落在千叶县东金市和大网白里町约200hm²风光秀美的地块上。这是日本最早建成的配设高尔夫球场的郊区住宅项目。由于将高尔夫球场纳入住宅区规划范围，使这里的居民可以饱览球场美丽的自然景色。另外，由于住宅多采用大地块配置，使区内绿地得以较完整地保留下来，即使从高尔夫球场一侧望去，同样秀色可餐。

石胜所包揽了该项目造园工程的规划、设计和施工，同时还承接了高尔夫球场的地面造型、草坪铺设和造园的施工。建成后高尔夫球场的球道管理工作也由石胜所负责。

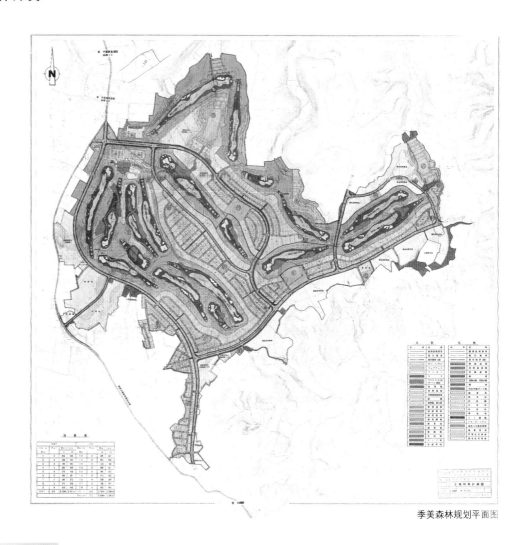

季美森林规划平面图

季美森林周围地区航拍照片

郊区住宅中的
别墅前小路

季美森林高尔夫俱乐部

◀▲季美森林高尔夫俱乐部

从别墅区眺望高
尔夫球场

名　　称　季美森林

地　　址　千叶县东金市

开 发 商　东急不动产

发 包 者　东急不动产

高尔夫球场球道设计　宫泽长平

景观规划　石胜所

造园施工　石胜所

绿地管理　石胜所

球道管理　石胜所

规　　模　占地面积 1 972.2hm²，高尔夫球场 89.1hm²
　　　　　18 洞　7.005 码　球洞间隔 72 码

竣　　工　平成 9 年（1997）

## 行道树规划

　　街道两边的景观是街道的重要组成部分，因此应该给予足够的重视，使其具像化地表现出四季的美景，并具有统一的格调。在规划设计上应满足以下条件：表现四季变化，让行人赏心悦目，让街道添光加彩。为此，这里栽植的主要是落叶树，分别以新绿、花朵、碧绿和红叶来代表春夏秋冬，而且还要让不同的街道有不同的特点。

　　不言而喻，其中最重要的当属主干道。在这条规划范围内的主要道路上，分别设有宽 1.5m 或 3.5m 的步道和宽 20m 的车道。主道集中地象征性地表现出季美森林街区的整体形象，而街区的主题是展现四季的美景。

　　7.5m 宽的步道被设计成蜿蜒曲折的小路，使其具有环游观光路的功能。另外，还以草坪和落叶树烘托出空间构成的开阔和明朗。虽然是行道树，也选择绿色保有量较大的榉树，每 3 株栽在一起；灌木则挑选开花的树种，以表现季节感。

## 公园规划

　　在整个规划区内，有街心公园 2 座，儿童公园 10 座，总占地面积 4.57hm²，为规划区面积（含高尔夫球场）的 2.3%。公园也是总体规划中的重要一项，是一个能更充分地展现四季美景街区魅力的平面空间。通常情况下，人们在规划设计公园时，总是优先考虑功能的统一，因此难以充分展示主题。在这里，为使主题更鲜明，让 12 座公园代表一年中的 12 个月，分别被确定为 1 月公园、2 月公园……每座公园内都栽种着同一种树木，以体现各个公园的特色。

　　在公园内的设施方面，不再选用过去的铁制道具，而是以综合的游乐设施和木制道具取而代之，成为广场空间很大的开放式公园。

7.5m 宽步道中的典型路段

7.5m 宽步道

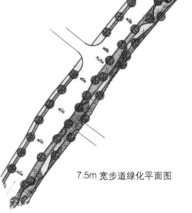

7.5m 宽步道绿化平面图

2 号街心公园规划平面图

## 住宅区周围庭园规划

由于规划区采取的是一种住宅与高尔夫球场为一体的复合开发形式,因此在总体布局上,住宅都靠近高尔夫球场,如同郊区的度假别墅。这样一来,使住宅区也具有了高尔夫球场的一些特征,规划区的造园规划也与一般意义上的规划不同,必须将二者巧妙地结合起来,营造出都市型度假休闲景观,创建出可以展现四季美景这样一个整体概念的街区。

虽然住宅与高尔夫球场并存一处,但创造出的空间却让性质迥异的二者没有任何冲突,彼此相互融合。从住宅这边看去,高尔夫球场就像是宽敞的庭园;从高尔夫球场一侧望去,住宅有如度假别墅和俱乐部的房舍。总体上的感觉,是一处生活品质很高、休闲娱乐性又很强的优雅空间。

此外,街区全部采取开放式格局,任何地点均不设围墙、栅栏和院门,以保证让大片绿色尽收眼底。

样板街区

左边是度假别墅式住宅,右侧是普通住宅

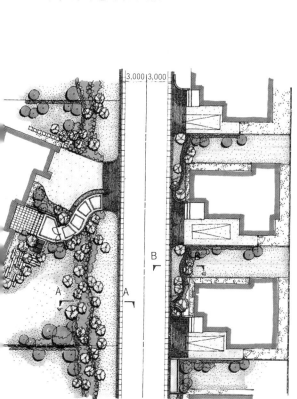

住宅周围造园规划图

开放式环境规划

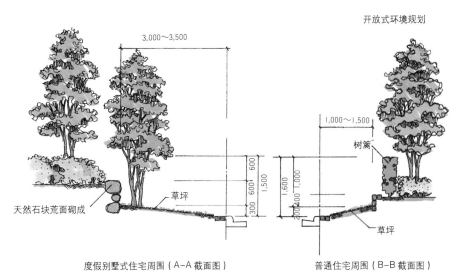

3,000~3,500

天然石块荒面砌成

草坪

度假别墅式住宅周围(A-A 截面图)

1,000~1,500

树篱

草坪

普通住宅周围(B-B 截面图)

# 在百货店屋顶上建城市庭园

## 混凝土地面上的碧水绿荫乐园

屋顶庭园系列

### 绿荫和瀑布的屋顶广场

### 东急百货店总店屋顶庭园

石胜花园的造园部脱离总部，成立独立的石胜造园所是昭和47年（1972）的事。

在此之前2年即昭和45年（1970）秋出现于涩谷的这座屋顶庭园，成为石胜所诞生和走向自立的重要标志。它为以后民间造园的发展开辟了前进的道路。

提起从前的百货商店屋顶，上面摆设的玩意，无非是靠收取入场费来赚小钱的，是一处产生直接效益的游乐场。新建的屋顶庭园撤掉这一切，在混凝土化的城市中心建起人人向往的绿洲城市庭园。遍布绿荫和瀑布的庭园，建成后好评如潮，对顾客产生极大的吸引力。大凡来到庭园的人在下去时都要进店里转上一圈，间接地起到了促销作用。在以后建造的屋顶庭院，也都撤掉了上面的游乐设施，大多成为一处休憩广场。

对于当时的百货店经营者来说，要转变屋顶空间的开发观念，需要做大量的说

东急百货店总店屋顶上的瀑布、喷泉瀑布、喷雾瀑布和喷水隧道

服工作，而对于设计者的我们来说，也要承担一定的风险。然而，敢于面对挑战，正是石胜所从成立伊始至今都具备的开拓精神的体现。

在这里，我们以"绿荫、碧水和阳光的乐园"为主题，布置了瀑布、人工草坪广场（也可转用为泳池）和喷泉等景观，中间穿插着绿荫小道，构建了一个迷人的休憩空间。

名　　称　东急百货店总店　屋顶庭园
地　　址　东京都涩谷区
开　发　商　东急百货店
发　包　者　东急百货店
造园设计　石胜花园
造园施工　石胜花园
规　　模　屋顶面积 0.3hm²
竣　　工　昭和45年（1970）

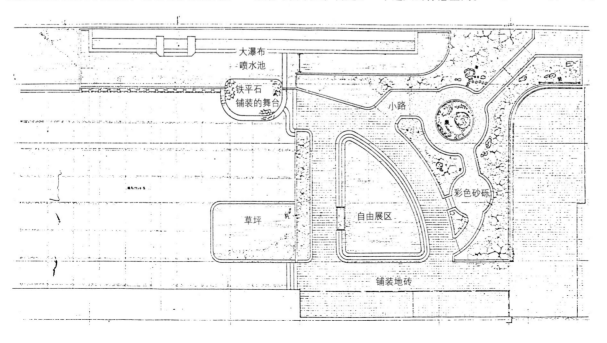

东急百货店总店屋顶庭园中用喷嘴造成的喷雾瀑布

## 屋顶庭园的施工技术

采取以下措施以承受 500kg/m² 的载荷：

①将瀑布、水池的钢骨架以及水的重量分散在建筑本体的梁和柱上（浮式结构）

②开发轻质人造土壤（黑土与珠光体的混合物）

③园路路面下以发泡苯乙烯铺设出起伏的地势

④栽植的花木须加固支撑，土壤表面以网状物被覆

⑤为使排水、保墒、通气、灌溉都能处于良好状态，设有火山砂砾透水层，重点处安装散水装置

### 当时年仅 23 岁的工程负责人的谈话

这项目是石胜花园建立以来第一次承接的大型屋顶庭园工程，在某种程度上，它的成败关系到石胜花园自身的生死存亡。当时，公司内的设计施工力量明显不足，人才也很缺乏，但工程就在边学边干中开始了。直至工程进度过半，大家才多少找到一些诀窍，信心也随之提高。

对于在技术、人员和资金三方面条件均不具备的石胜所来说，当时的做法无异于孤注一掷。从规划和设计阶段开始，便时时处处表现出一种义无反顾的悲壮感，大家以年轻人的满腔热血，不屈不挠的斗志，投入到工作中去，都在为公司的生存背水一战。这时，全体成员的心真正地凝聚在一起。

### 菅原元彦　石胜造园所现董事支店长

在创建日本前所未有的、具有划时代意义的屋顶庭园的过程中，由于公司全体成员的崇高信念和无与伦比的自豪感，赢得了社会的理解和支持，许多人才也加盟其中，使工程得以圆满完成，并因此在后来不断地接到承建大型屋顶庭园的合约。

在逆境中培养出的"石胜魂"，其核心内容包括：不屈不挠的斗志和韧性、开拓精神、挑战精神、强烈的好奇心、勤奋好学、团结一致、为社会做贡献的崇高信念和自豪感……等等。不过，有时我也在想，随着公司规模的扩大，说不定这些也会慢慢地消失……

### 绿化空间（屋顶庭园）成为都市上空的风景线

从来商业设施屋顶都不过是一块平坦的混凝土空场，大多 10 层左右的建筑鳞次栉比，构成都市的空中轮廓，其立面则是日本新街区的象征。

但是，随着新建筑法规的颁布，当更高的建筑出现时，百货商店都处于高层写字楼上白领们的众目睽睽之下，使屋顶的面貌产生了差别，各家百货店不得不考虑自家屋顶在别人眼里的形象，千方百计布置得更具观赏性，这就是所谓的都市"第五立面"的出现。

另外，从营销战略上看，也必须关注屋顶的作用。因此，都逐渐撤掉了利用率不高的收费娱乐设施，而改建成客源面更广的休憩空间。客人在从屋顶上下去时，多半会顺路进入商场转上一圈，大大地增加了销售的机会。这也是一种间接地吸引客源、促进销售的手段，即所谓的"喷水理论"——水点越密落在头上的概率越大。

东武百货总店屋顶上的"攀援树"（左）和"雷雨树"（右）

## 为孩子们造的钢骨空心树

## 东武百货总店屋顶庭园

昭和46年（1971）东武百货总店在扩建施工中，将原来的九层、十层和十一层的屋顶平台部分改建成屋顶庭园。在这之前只是光秃秃的屋顶广场；但是顾主提出的希望是，扩建后的百货店营业面积为日本之最，屋顶庭园应为招揽顾客发挥较大作用。

庭园的设计理念是：①应成为一座让人叹为观止的庭园，也是一处让顾客趋之若鹜的娱乐休闲空间；②可产生时间和空间的对比；③应考虑从毗邻的更高建筑上俯瞰的景观效果等等。为了实现以上意图，建造了两棵高大的立体钢架树。一棵是带滑梯的空间之树"攀援树"，另一棵是模拟自然现象的时间之树"雷雨树"。另外，考虑到俯瞰的效果，在十层上构筑了可俯瞰九层的绿荫散步路；在十一层

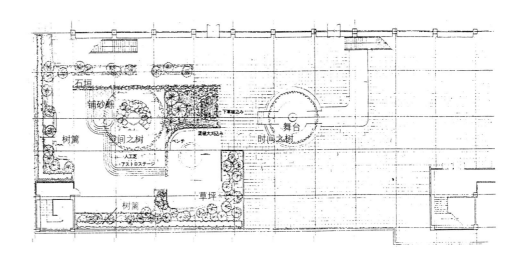

（中式餐厅专用庭院）上以FRP（玻璃纤维加强塑料）景石构建了一个石庭，以加强其景观效果。

全部构想实现后，两棵立体钢架树的利用率要比预想的高得多，但是，其保养维修期也因此提前了。

名　　称　东武百货总店屋顶庭园
地　　址　东京都半岛区
开 发 商　东武百货店
发 包 者　东武百货店
造园设计　石胜花园
造园施工　石胜花园
规　　模　造园总面积0.3hm²

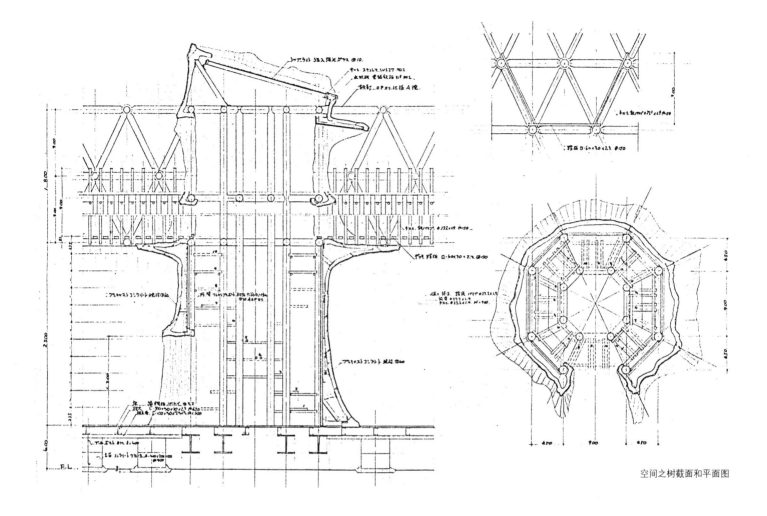

空间之树截面和平面图

## 以球窝连接和立体桁架构建的高大钢架树

空间之树"攀援树"以榕树为原型设计，在树干的中空部分设置钢管造的旋转阶梯，可借其攀至顶端。顶端上设有一个滑梯，可从上面一直滑到屋面上。在树的内部还张挂渔网，孩子们可用来做攀援游戏。

时间之树"雷雨树"，顾名思义是棵会鸣雷能下雨的树。雷声为现场实录，配合一些拟音，交混后录成可循环播放的磁带。整个树冠以闪烁的灯泡和彩色的三角板制造，用以表现闪电的景象。树冠下的一圈喷嘴喷出的水帘自然是用来表现雨景的了。

## 屋顶成为光和水的舞台

# 宇都宫东武百货店屋顶庭园

　　这座屋顶庭园是继东急百货总店和东武百货总店的屋顶庭园相继取得成功之后兴建的，施工时间为昭和47~48年（1972~1973），以光和水的舞台为设计概念。屋顶整体由小河、小岛和瀑布构成，一座多功能广场为流水所环绕。平时的利用率很高，尤其是在夏季里，这里成为露天啤酒馆，总是人满为患。北面沿着长长的钢筋混凝土墙流下的瀑布环抱着一个个小岛，坚固的墙壁还遮挡了当地经常光顾的季节风。

　　当时的施工者曾回忆说："这座屋顶庭园，与其说是造园工程，不如说是建筑工程。"对钢筋混凝土墙壁和预制混凝土板的承重和防水等方面的难点，都是造园施工中出现的新课题，必须勇敢地面对一个个新的挑战。

宇都宫东武百货店屋顶上的户外餐席

屋面上的露天啤酒馆

屋顶造园规划图

名　称　宇都宫东武百货店屋顶庭园
地　址　栃木县宇都宫市
开发商　宇都宫东武百货店
发包者　宇都宫东武百货店
造园设计　石胜所
造园施工　石胜所
规　模　屋顶面积700m²
竣　工　昭和48年（1973）

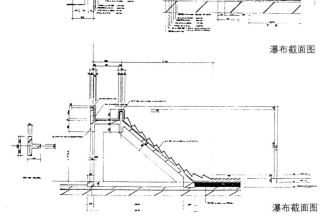

瀑布截面图

瀑布截面图

平成 5 年（1993）时的乔依娜大厦屋顶

## 呼唤野鸟的森林

## 乔依娜森林雕塑公园

乔依娜大厦屋顶庭园的建成，也给横滨火车站带来一片绿荫。在此之前，横滨火车站周围没有一处绿地广场。因此，设计的要点当然是"绿荫、碧水和阳光的公共广场"。广场的 3/4 都建成环游式绿树林，使这里成为向普通市民开放的城市绿洲。

广场上的具体布置是，周围装设灯饰，楼面上铺装传统的六角形瓷砖，以原始的陶片和玻璃幕墙来构筑象征性瀑布，设有吸引野鸟前来进食的木杆等等。

该项目已是石胜所承建大型屋顶庭园工程第十年的作品，因此在规划中关于改善土壤、承重分布和防水措施等工程的各个方面，都融入了过去积累的丰富经验和先进工艺，可称为是一件集技术之大成的作品。

现在的乔依娜森林雕塑公园经常被用来举办雕塑展览会；而且，也是情侣们幽会的好去处。为了吸引更多的野鸟来这里栖息，栽种的树木都是可结果实的，果实可作为野鸟的饵食。因此，从早到晚都有鸟儿从远处飞到这里来。

▲▼ 刚竣工时的乔依娜屋顶

名　　称　乔依娜森林雕塑公园
地　　址　神奈川县横滨市
开 发 商　相模铁道
发 包 者　南房植物园
设　　计　松田•平田•坂本建筑设计所
造园施工　石胜所
规　　模　造园面积 0.43hm²
竣　　工　昭和 53 年（1978）

这里栽植的形象树以大直径的百合为主

95

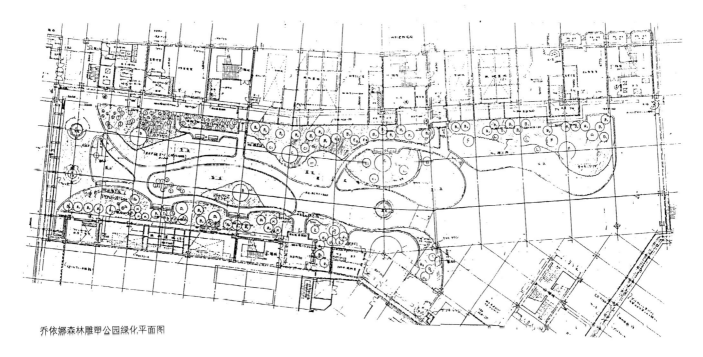

乔依娜森林雕塑公园绿化平面图

## 相关的技术问题

通常情况下，在承接屋顶庭园工程时，多数主顾不是要将建筑整体改建，而是改造其中的一部分。

但是，由于在改建过程中必须导入当初建筑设计程序中没有的东西，因此，往往会出现以下问题：

①尽管会提出多个不同的方案，但建筑本体的承重是无法改变的，因而设计方案也只能局限在这个框框内。

②植物在成长过程中，其根部有可能穿破屋面的防水层；而且，沙土的流失和落叶的堆积，都有可能堵塞排水通道。

③应事先考虑好喷灌式的给水方法。

④为安装夜间照明和水池过滤设施，必须对电气设备做通盘考虑。

⑤如要安排乔木和大型雕塑，应该采用稳妥的起重方式。

⑥铺设在屋面的土壤层要保证植物生长良好，并要尽可能地轻质化。这些离不开有关土壤配比和制造技术的研究。

屋顶庭园的建设可以说就是随着这些问题的解决而向前发展的。

---

## 有关新相铁大厦屋顶庭园中土壤的考察

植物生长的要素有以下两点：

①有一个支承植物体的基础底盘。

②有一个供应植物水分、空气和营养的底盘。此外，还要分解营养，使之变成易为植物体吸收的形态。

对于植物生长来说，一种优良的土壤应具备以下9个条件：

①应该对植物具有足够的支承力

②应该有适当的吸水性和保墒性

③应该有适当的透水性和排水性

④应该有适当的含气率和保温性

⑤应该有足够的氮、磷、钾肥料三要素，并含有适量的铁、铜、硼、镁、锰和铝（主要以化合物形态存在）等微量元素

⑥应该有充足的堆积肥之类的缓效有机肥成分（堆积肥具有平衡肥效、长期持久的优点，有利于②~④、⑦和⑧各项）

⑦应该有可靠的保肥性

⑧应该具有分解养分（主要靠土壤中的细菌）使之变成易为植物体吸收形态的能力

⑨pH值（氢离子浓度）应该在7（中性）左右（个别植物例外）

屋顶庭园应具备的土壤条件，除了上述的9点之外，还有一点就是，由于受到建筑本体承重能力的限制，应该尽可能地将土壤轻质化。为此，不得不使用诸如珠光体、碳化物、树皮堆积肥等轻质土壤改良剂（其中的碳化物和树皮堆积肥也是绝好的肥料）。但是，这样一来可能造成土壤中的黏土含量过低，导致对植物体的支承力下降。因而还必须对植物体另外采取加固措施。

在该项目土壤中，最大限度地满足了以上条件，其组成包括田园土、珠光体、碳化物和树皮堆积肥四种，它们被均匀地混合在一起。

● 田园土——是一种品质最优良的天然土壤，也很便宜。缺点是比重大，不可多用。

● 珠光体——即珍珠岩（Perlite）粉末，是一种无机矿物质，极轻，可优化上述②~④和⑦各项条件。

● 碳化物——是以稻壳和稻草灰混合堆积而成的优质土壤改良剂，可优化上述②~⑨各项条件，并可杀灭对植物有害的杂菌。其成本不高，但多需预先订购。

● 树皮堆积肥——是将树皮经腐烂发酵后作为土壤改良剂来使用，也是一种最优良的堆积肥，其优化②~⑨的作用要超过碳化物；但不像珠光体和碳化物那样轻，而且成本较高。处理上还要注意，如果没有充分发酵的话，会产生发酵热，将植物的根烧死。市场上的名牌

## 屋顶绿化技术

在这里，为了减轻荷重，不是浇筑矿渣混凝土板，而是一层厚度仅为30mm的防水灰浆，并以此作为人造的基盘。然后，再将1mm厚的FRP（玻璃纤维加强塑料）板也作为防水层覆在上面。

植物栽培用的土由田园土、珠光体、树皮堆积肥和碳化物等部分混合而成，不仅质量很轻而且对植物体也具有一定的支承力。

在这里试栽的乔木也取得了前所未有的成功。采用的只留根部1/2的新技术，大大地减轻了树木重量。为了分散载荷，在现场对应建筑本体的梁和柱位置浇筑了耐压承重板（钢筋混凝土厚150mm）。

在大树搬运时，利用夜晚，以租来的台式车拉到大厦停车场，再以建筑施工用的人工绞车将其吊到楼顶上。

乔依娜森林怎么看也不像是大楼的屋顶（平成5年）

产品则无此虞。

从以上所述可知，本项目中使用的是极其优良的轻质人工土壤。由于本项目的土壤地力强劲，虽说暂时看起来成本较高，但竣工后的庭园管理也会变得轻松。因此，从运营成本上来考虑还是划算的。而且，树木会均衡地成长，使初期的景观也显得较丰满。尽管在对树木的支承力度上怎么也赶不上天然土壤，但这是可以靠树木之间的相互连接加固解决的。

不过，单凭土壤品质的优良，而忽略了经常性的管理的话，一件费尽千辛万苦创造的作品，也无法长久地展现魅力。植物是有生命并时刻在生长的，只有平日里细心呵护，才会长期光彩照人。

有关本项目中人工土壤的开发，曾接待过德国农业考察团的来访，并为多家媒体报道，成为轰动一时的话题。

绿荫浓密的屋顶也是幽会的场所（平成5年）

# 屋顶上的绿荫散步道

## 屋顶绿化技术的集大成之作

🔲

### 大崎车站的再开发项目（大崎新区）

大崎车站东口 1 号地区的市区再开发工程是品川区最早的街区开发项目，其规模继六本木的弧形区之后，在东京规模名列第二。该项目位于国铁山手线大崎车站东口，开发面积 30224m²，其中有 21 层高的写字楼 1 座、20 层高的写字楼 2 座，另有 1 座 13 层高的酒店。由石胜所 JV 承接的造园工程位于三楼的公共空地上，其面积近 5 000m²，此外，在一楼还有约 7 600m² 的公共空地，总计为 12 600m²。

在三层的人工地块上，突出的技术问题当然是承重的限制。在这里，石胜所在位于国铁横滨站西口的乔依娜森林雕塑公园的设计施工中积累的经验被派上了用场。

乔木类（目测直径约 0.8m）均被植于建筑本体桁架位置，只是这样一来给绿化区和园路的设计带来很大的不便。从开发商希望有足够的绿化量这一点出发，我们提出的方案是，人工地块上的土壤厚度为 200~900mm，再根据不同土壤厚度，栽植相应的树木。在管理方面也与一般的人工地块绿化区不同，采用了污水处理后的中水自动喷灌，以液态肥料为主。

从国铁大崎车站穿过架空的通道便可来到大崎新区的三楼公共空地上

大崎新区

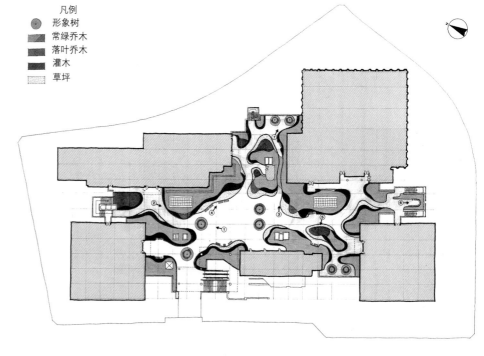

凡例
- 形象树
- 常绿乔木
- 落叶乔木
- 灌木
- 草坪

三楼公共空地造园规划图

▲▼三楼的人工地块

连络通道

名　　称　大崎新区
地　　址　东京都品川区
开 发 商　大崎车站东口 1 号地区街区再开发组合
发 包 者　大成建设
设　　计　共立建筑设计所
造园施工　石胜所
绿地管理　石胜所
规　　模　面积 3hm²
竣　　工　昭和 62 年（1987）

# 布满绿色的大厅

## 构筑与都市酒店相称的室内绿色空间

弧形区　东京全日空酒店

弧形区将赤阪和六本木连接起来，作为靠民间力量开发的街区，其规模为日本之最（开发面积约 56 000m²）。在兼具写字楼、工作室、音乐厅和住宅等多种功能的复式建筑中，东京全日空酒店占其一隅。东胜所则承担了酒店周围的绿化以及以天井大厅为中心的营造绿色空间工程。

在大规模的开发项目中，有许多值得探讨的问题：第一，这里作为特定地区的街区改造项目，在行政和法规方面一定会有很多制约；第二，人工地块的特殊环境

和楼上强风等气象条件可能带来的问题；第三，设计方案要适应最新的、周到完备的酒店服务功能，完成后还要与 F·M（简单·便捷）对应；第四，特殊条件对工艺、工序、材料和树种的选择；第五，与相关专业人员和其他设计单位之间的相互协调，如美术设计师、建筑设计师、照明设计师和调试空调的机械师等。

弧形区建筑

二楼大厅的瀑布　　　　　　　　　　　　　　　　　　　　　　　二楼大厅的休息室

| | |
|---|---|
| 名　　称 | 东京全日空酒店 |
| 地　　址 | 东京都港区 |
| 开 发 商 | 全日空企业 |
| 发 包 者 | 大成建设 |
| 设　　计 | 观光企划设计社 |
| 造园施工 | 石胜所等 |
| 绿地管理 | 石胜所等 |
| 竣　　工 | 昭和 61 年（1986） |

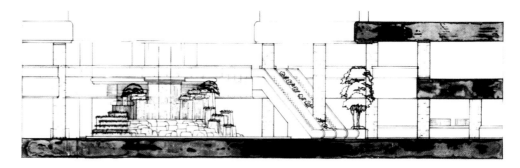

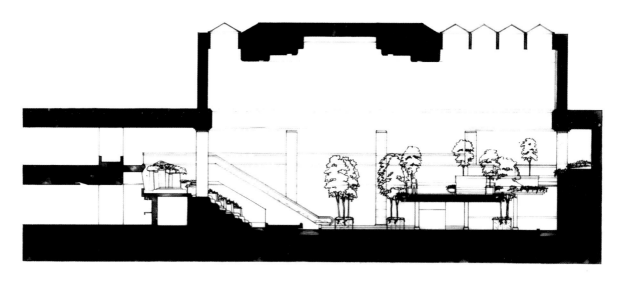

## 复合式的都市开发

从 20 世纪 80 年代中期开始出现在都市里的大型项目，都采取了特定地区、街区改造和综合规划等各种开发方式。项目的发展商都是由多个法人组成，试图将建设的项目同时具有写字楼、酒店、商场、餐厅、音乐厅和住宅等多种功能，以满足不同层面人士的需求。

此外，为了进一步扩大可能受益者的范围，将项目都放在"都市"这样的水平上进行架构。与此同时，还要在交通基础设施的建设、与周围街区的协调发展和对环境可能造成的影响等方面仔细斟酌，以承担对社会的责任和义务。

在复合化设施规划中最常用的语汇是"流动性"和"活性化"。它的由来就是，依靠铁路、公交车的小汽车在一个城市和另一个城市之间穿行。公共空地、开放的大厅和室内花园等这些原本是标志空间界限的，现在其原来的功能已被逐渐弱化。

从另一个角度来说，一个大规模的开发项目，其中涉及到的行政决策方面因素也很复杂，经常出现久拖不决的现象。因此，设计的方案在施工前后变更的可能性和灵活性大大减少。从创意构想到项目竣工需长达五六年时间是司空见惯的事。其间的变数很多，如经济不景气而致使项目搁浅等。要使城市建设总能紧跟时代脚步亦并非易事。

三楼的"庭园餐厅"

## 关于室内绿化

这个方案的最大特点就是要将花草树木都栽植在室内。弧形区的街区改造部分是一个被充分绿化的地区，还有成群的飞鸟迁徙到这里栖息，是真正的都市绿洲。提交的设计方案必须要将街区的这一形象在东京全日空酒店内全面反映出来，而且还要将酒店建设的理念升华为"水、绿和光"。大厅内矗立着5棵高达5m的形象树，大片的绿色围绕着人造瀑布，自动扶梯两侧的绿色植物作为缘饰，天井大厅周围是由花草树木构成的回廊。以这样大量的植物来绿化室内，也是前所未见的。这些新技术的积累，一定会给今后城市的绿化起到很大的促进作用，并引发出更大胆的构想。

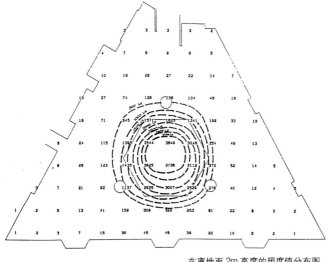

在离地面2m高度的照度值分布图

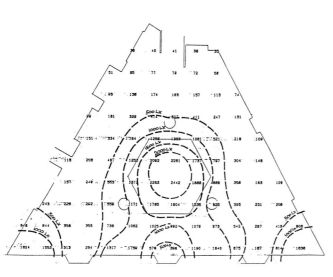

"庭园餐厅"白天的地面光照度分布图

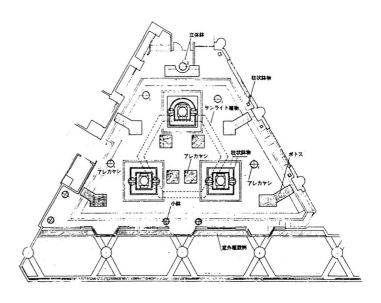

"庭园餐厅"的设施规划平面图

## 几个技术问题

在人工地块上进行绿化作业，在设计和施工中应注意以下各点：

①人工地块上挖的树坑应有台阶，修成花盆状，根部要以植物性材料捆扎结实；

②树种的选定要考虑到地上的特殊环境（如高楼强风、剧烈变化的日照和横向的雨水等），设计上采用相应的对策；

③建筑规划和制订方案时应充分研究混合土壤的搬入方法；

④建筑规划时，细致测量树坑的深度；

⑤确定浇灌方式，尤其是悬臂上的植物，以人工方法浇水是很危险的，设计上应采取安全措施。

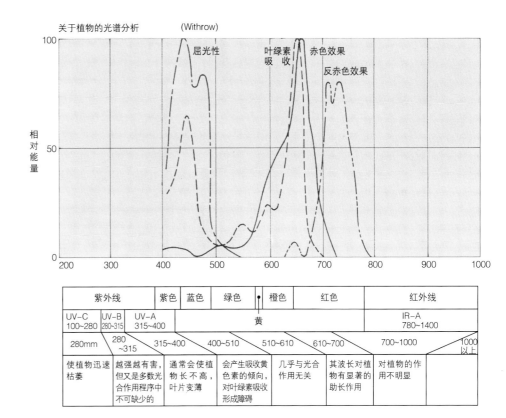

关于植物的光谱分析 (Withrow)

| | 紫外线 | | | 紫色 | 蓝色 | 绿色 | 橙色 | 红色 | | 红外线 |
|---|---|---|---|---|---|---|---|---|---|---|
| | UV-C 100~280 | UV-B 280~315 | UV-A 315~400 | | | | 黄 | | | IR-A 780~1400 |
| | 280mm | 280~315 | 315~400 | 400~510 | 510~610 | 610~700 | | 700~1000 | | 1000以上 |
| | 使植物迅速枯萎 | 越强越有害，但又是多数光合作用程序中不可缺少的 | | 通常会使植物长不高，叶片变薄 | 会产生吸收黄色素的倾向，对叶绿素吸收形成障碍 | 几乎与光合作用无关 | | 其波长对植物有显著的助长作用 | | 对植物的作用不明显 |

### 公共空间照度调查

美国、加拿大一些公共建筑的调查数据　　　　昭和62年（1987）

| 调查对象 | 计测日期和时间 | 天气状况 | 地面照度（勒克司） |
|---|---|---|---|
| 美国 IBM 公司总部 | 6/10 9:30 | 阴 | 500（最里面）870（从中央到里面）1170（中央） |
| 美国 IBM 公司总部 | 6/10 15:25 | 晴 | 6000~8000 |
| 美国帝国大厦 | 6/10 9:50 | 阴 | 170（地下1层）180（地上1层） |
| 美国化工银行 | 6/10 10:10 | 阴 | 460（最里面）1160（中央）3060（入口处） |
| 美国 PAN.AM 公司 | 6/10 10:25 | 阴 | 445（地上1层 中央大厅） |
| 美国海特大饭店 | 6/10 10:35 | 阴 | 60（里面瀑布前）160（入口处） |
| 美国城市购物中心 | 6/10 11:00 | 阴 | 8000 |
| 美国花园林荫大道广场 | 6/10 11:20 | 阴 | 890~1180 |
| 美国伊利诺斯大陆中心 | 6/10 11:30 | 阴 | 1000 左右 |
| 美国奥林匹克大厦广场 | 6/10 11:40 | 阴 | 8550~1220 |
| 美国福特基金会 | 6/10 12:20 | 阴 | 2000 左右 |
| 加拿大尼亚加拉希尔顿饭店 | 6/11 | 晴 | |
| 美国缅因州商业中心 | 6/12 | 晴 | |
| 加拿大泛太平洋银行酒吧 | 6/12 8:30 | 晴 | 400~600（地上1层）600~1700（地上2层） |
| 加拿大 Q 市场 | 6/13 | 晴 | |
| 加拿大西埃德蒙顿花园路 | 6/16 12:15 | 阴 | 3600~6400 |
| 美国海特李斯金饭店 | 6/19 15:00 | 阴 | 100~400 |
| 美国摩根会议中心 | 6/19 16:00 | 阴 | 800~1500 |
| | | | |
| 日本国内调查对象 | | 阴 | |
| 弧形区东京全日空酒店 | S.62 1/24 12:10 | 阴 | 33~280 |
| 弧形区东京全日空酒店 | S.62 1/24 12:10 | 阴 | 600~1500 |
| 弧形区东京全日空酒店 | S.62 1/24 12:10 | 阴 | 45~120 |
| 中央银行公寓庭院 | S.59 6/6 15:00 | 晴 | 2500~3000 |
| 长谷川工务店总部庭院 | S.59 6/8 9:07~9:30 | 晴 | 200~900 |
| 银座千疋屋 | S.59 6/8 9:55 | 阴转晴 | 窗边 阴10000~13000 晴4700 |
| 银座千疋屋 | S.59 6/8 9:55 | 阴转晴 | 里面3700~4000 里面树荫处200~210 |
| 川崎市民广场 | S.59 7/4 10:40~11:30 | 晴 | 300~16000 |
| 大同人寿保险 | 7/5 13:00 | 晴 | 直射光40000~60000 反射光1000~5000 |

### 不同植物所需要的最低照度

照度の目安最低点　Licht 1982 16月 52.

| 名称 | 照度(lx) | 名称 | 照度(lx) | 名称 | 照度(lx) |
|---|---|---|---|---|---|
| Aglaonema アグラオネマ | 500 | Farne シダ類 | 1000 | Spatiphyllum スパティフィルム | 500 |
| Alpenveilchen シクラメン | 1000 | Fingeralie マサテ | 1500 | Syngonium シンゴニウム | 500 |
| Ananas アナナス | 1000 | Geranien ゼラニウム | 1000 | Tillandsien チランドシア | 1500 |
| Anthurium アンスリウム | 1000 | Steinfarne ビカンテ | 500 | Tomaten トマト | 2000 |
| Aralie シフレラ | 1000 | Glockenblume フウリンソウ | 1500 | Tradescantie トラデスカンチア | 500 |
| Aphelandra アフェンドラ | 1500 | Gummibaumarten ゴム | 1000 | Usambaarveilchen セントボーリア | 1000 |
| Aster アスター | 1000 | Gurken キウリ | 2000 | Weihnachtsgewächse クリスマスギア | 2000 |
| Azalie アザレア | 1000 | Hortensien アジサイ | 1500 | Wohlondlikgewächse ユーホルビア | 1500 |
| Begonien ベゴニア | 2000 | Kakteen サボテン | 2000 | | |
| Billbergia ビルベリア | 500 | Kalanchoe カランコエ | 1500 | | |
| Blumenkohl カリフラワー | 2000 | Kopfsalat レタス | 1500 | | |
| Bougainvillea ブーゲンビリア | 2000 | Metzgerpalm ヤシ類 | 500 | | |
| Bromelien アナナス類 | 1000 | Oleander キョウチクトウ | 2000 | | |
| Chamaedorea kentia ケンチヤ | 500 | Orchideen ラン類 | 1500 | | |
| Chrysanthemum キク | 2000 | Palmen ヤシ類 | 1500 | | |
| Clivia クンシラン | 1000 | Pantoffelblume スリッパソウ | 1500 | | |
| Codiaeum クロトン | 1500 | Passionblume トケイソウ | 1500 | | |
| Dieffenbachia デーフェンバキア | 500 | Philodendron フィロデンドロン | 500 | | |
| Drachenbaum リュウケツジュ | 1000 | Rosen ばら | 1500 | | |
| Dracaena Arten ドラセナ種 | 500 | Sanevoatien サンセベリア | 500 | | |
| Efeugewächse キヅタ | 500 | Scindapsus ポトス | 500 | | |

岩崎電氣株式會社

# 营建具有强烈视觉冲击效果的景观

## 火车站前的绿化工程

### 圣迹樱丘的开发改造

由京王帝都电铁开发的京王圣迹樱丘商业区，到处都是喷泉、樱花，让人感受到街市的繁荣和与自然的亲和力。石胜所参与了这里的外部环境规划以及广场的设计和施工，随后接过绿地的管理工作。

总体构想是针对多摩地区进入 21 世纪后将会产生的变化（学生 20 万人，多摩新城居民 32 万人），通过以下项目展开的。

### 外部环境规划中的设计理念

●3 个理念

具有地区特色

确保高水准的文明环境

建成的街区有较大的纵深

●5 个要素

水、绿色、街道设施、雕塑、铺装

●3 个场所

街心公园、街道空间、袖珍广场

在以上构思的基础上，我们以青山绿水环绕的武藏野森林为原型，在不同的场所，分别配置了人们十分熟悉的山峦、河流、植物和人文景观。

①水和绿色——以适合多摩风情的当地植物为主

②瀑布和流水——以自喷地下水的人工井为参照

③街道设施——饮水处、休闲椅、电话亭等

④雕塑——有木制和喷水的两种

⑤缘石——烧制的瓷片，表面是小学生们以多摩的鸟、鱼和昆虫为题材绘制的图案

⑥铺装材料——以灰色为基调的方格瓷砖

袖珍公园

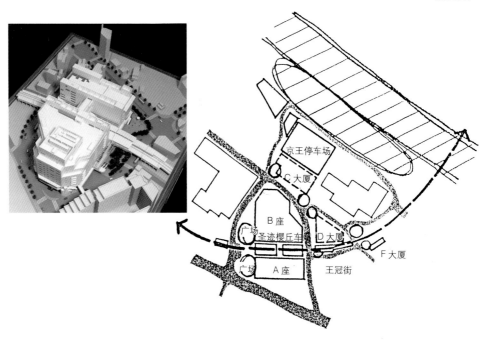

袖珍公园中的榉树

## 栽种植物特点

圣迹樱丘中栽种的植物具有鲜明的地区特点，树种是以武藏野景观为原型来选择的，从乔木到地面植被，采用了多种植物进行立体绿化（植物种类达53种之多）。

像这样的绿化工程，在栽种规划中大都模仿某个地区风景原型制订，难度虽然不大，但必须赋予新的概念，以表现出明确的设计意图。

第一，在以当地自然生物为原型制订设计方案时，应该将植物与当地风土人情相融合，并易于为人所理解。第二，植物栽种方案中的乔木和灌木的比例要适当，不可太钟情于乔木，变成一种单调的设计，应该让人看到植物所具有的多种颜色和质感以及花、果、叶的美感。

### 选用的树种

| | |
|---|---|
| 常绿乔木 | 白柞、木犀、山茶 |
| 落叶乔木 | 榉、野茉莉、山樱、乌饭、四照、美洲枫 |
| 常绿灌木 | 棧木、冬山茶、杜鹃、瑞香、柊、石楠、黄杨 |
| 落叶灌木 | 钓樟、吊钟花、卫茅、细柱柳、胡枝子、水晶花 |
| 地被草木 | 蝴蝶花、大吴风草、富贵草、紫金牛、吉祥草 |
| 攀援植物 | 藤、常春藤 |

名　　称　圣迹樱丘街区改造
地　　址　东京都多摩市
开 发 商　京王帝都电铁
发 包 商　京王帝都电铁
造园设计　石胜所
造园施工　石胜所
规　　模　3.6hm²
竣　　工　昭和63年（1988）

二楼散步平台处的休憩角

流水和休闲座椅

饮水处和座椅

木制雕塑小品

# 被景观装点的街区

## 创建车站与商业街相连的便捷舒适的环境

■

筑紫野站前广场及花园路

筑紫野车站前开花的树木让人感到春意浓浓

筑紫野作为多摩田园都市的一部分，于昭和 42 年(1967)被开发成占地约 100hm² 的郊外新住宅区。在当时车站周围有着功能完善的各种设施（旅馆、超市、银行和站前广场），随着街区的发展，现在均已显陈旧和落后，有重新加以改造的必要。

为此，作为发展商的东急不动产与建筑师和景观设计师通力合作，开始了对这条街区的总体设计。规划设计的前前后后，商业街的业主和当地的居民也积极献计献策。

石胜所参与了外部空间的规划、设计和施工，在承接该项目不久，即提出一个将站前广场和花园路一体化的方案，为当地居民提供了一个休闲娱乐的空间。

这是竣工时情景。当时栽下的楠树，13年之后长成右图那样枝繁叶茂的大树

在生长条件比较严酷的人工地块上，通过科学的管理，也可以让树木长得很茂盛

筑紫野站前广场瀑布截面图

筑紫野站前广场上的瀑布

花园路两边排列着的榉树和四照花

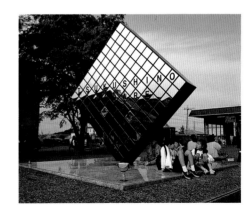

名　　称　筑紫野站前广场及花园路
地　　址　东京都町田市
发 包 者　东急不动产
造园设计　石胜所
造园施工　石胜所
规　　模　占地面积（站前广场）0.24hm²
　　　　　花园路 0.27hm²
竣　　工　昭和 55 年（1980）

# 与历史名城相融合的建筑
## 现代建筑中表现出的古典美

金泽东急饭店　京都东急饭店

## 金泽东急饭店

　　古都金泽的街区改造项目包括 16 层高的饭店及其周围的低层店铺。其中的庭园构建在金泽尚无先例，获得了一致好评。庭园在设计中既体现出现代意识，也充分融入古都金泽传统的造园理念，使二者得到较完美的结合。这座饭店的造园设计和施工是由石胜所承担的。

　　各楼层的庭院分别以鞍月用水、犀川、浅野川和映在兼六园霞池中的雾淞等金泽地区的名胜为原型布置景观，所有庭园的风格都被金泽的山水风光统一起来。此外，由于全部景观均设置在建筑物楼面上，因此在轻量化方面有着严格的要求。

五角锥体形的雕塑小品放在二楼庭院的中央

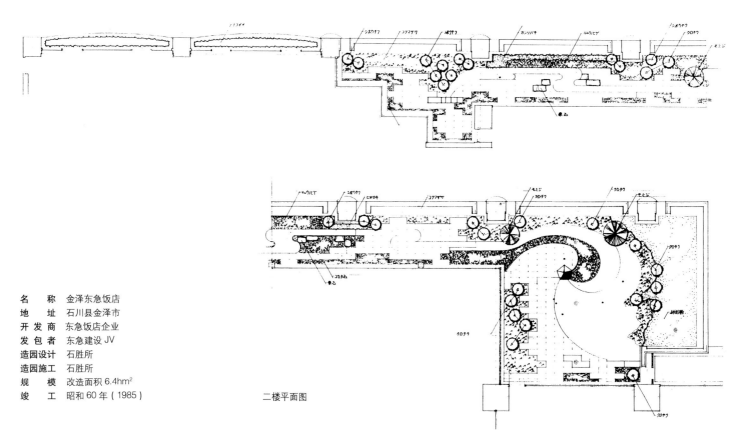

名　　称　金泽东急饭店
地　　址　石川县金泽市
开 发 商　东急饭店企业
发 包 者　东急建设 JV
造园设计　石胜所
造园施工　石胜所
规　　模　改造面积 6.4hm²
竣　　工　昭和 60 年（1985）

二楼平面图

从地上一层流向地下二层的"堀川"

## 堀川的再现

## 京都东急饭店

在国际观光城市京都的地面上要建一座地下2层，地上7层的饭店，需要耗费巨大的人力。首先，由于周围已经构建成一个弥漫历史氛围的完善的空间，这对即将建设的新项目有一种不可名状的压力。除此之外，为了不破坏街区完整性，项目设计必然会受到各种行政制约，只能在苛刻的条件下开展工作。

由东急饭店企业建设的这座京都东急饭店，由石胜所承担其以中庭为主的造园规划、设计和施工。庭园设计分中庭、西庭、屋顶庭园和南庭4部分，中庭是其中的核心部分。中庭由瀑布水声叮咚的水面和竹林构成，主体部分位于地下一层。有如堀川一样水量丰富的瀑布式水流从地上一层飞泻而下，落到地下一层的中庭水池中，然后又分成两路流向地下二层，其构成相当复杂。全长达100m的水流和瀑布，不仅表现出历史名城孕育的古典美，同时，也向世人展现了一个新鲜而又大胆的创意。因此，

这所庭园建成后，得到人们的高度评价。

支承庭园的是两个设计概念，其一是"都市中的中庭"，其二是"堀川的再现"。这是因为，饭店南面与西本愿寺相邻，其占地原是旧本方寺的一部分，而饭店正面对着堀川。这条堀川河曾有许多历史传说，近年来它变成一条地下河，似乎将历史上的神秘传说也隐入了地下。饭店的中庭则表现出它在地下奔流的情景。

从地下一层流到地下二层的L形瀑布是构成73m长的"堀川"的核心部分，"堀川"是由源头流下的水和向上涌出的水合流后再瀑布化形成的，它注入彼岸的大海，很快从视线中消失。这样的布置，意在以堀川的变迁和水的流动来反映人世的无常，将一种新样式禅寺庭园的构想具像化。通过采用不同的石材，以不同的色彩和质感来表现出泉、池、堤、流、渊、瀑的形象。

西庭客房外俯瞰专用庭院，用来观赏庭园里争奇斗妍的鲜花。南庭是一处长80m、宽3m狭长形的庭院；为一楼客房专用。应该指出的是，为了减少设有宴会厅的主楼墙面对客房产生的压迫感，将客房窗外全部以竹帘覆盖，并成为一道奇特的风景。这种大胆的设计反而提高了面向高墙一侧客房的格调，受到客人的好评。

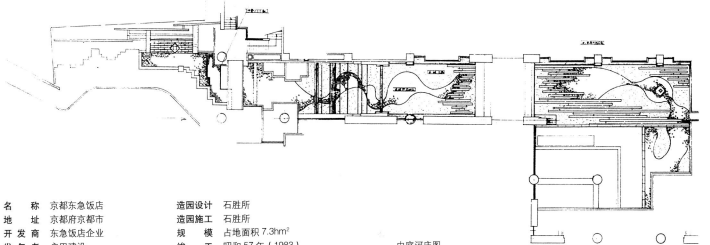

南庭

名　　称　京都东急饭店
地　　址　京都府京都市
开 发 商　东急饭店企业
发 包 者　户田建设

造园设计　石胜所
造园施工　石胜所
规　　模　占地面积7.3hm²
竣　　工　昭和57年（1983）

中庭河床图

# 在大厦周围铺展的绿色空间

## 市中心惬意的公共空地

东芝总部大楼（SKP）

被国铁山手线和单轨铁道环绕着的东芝总部大楼，同芝浦大厦周围一样，也以乔木绿化带、灌木绿化带和草坪等 3 种绿地构成一个惬意的公共空间。石胜所同样承接了其中的造园工程，并负责竣工后的绿地管理工作。

配置在地块周围的乔木绿化带，从低层建筑中的店铺中看去，也具有远景庭园的功能。灌木绿化带作为近景庭园与店铺毗邻，草坪则配置在乔木绿化带和灌木绿化带之间。既是远近景观的过渡区域，也是用于休闲活动的绿地。广场设在步行者活动线的交叉点上，设置形象树、标志和雕塑等。绿地处处设有照明装置，晚上灯火通明。

由于这里是块填埋地，地形缺少变化，也为了保证有足够的适宜植物生长的土壤层，在地块上堆积了厚厚的残土，使地势有一定的起伏，带有田园的亲切感。

此外，在第三十八层的楼面上还构建了人工绿地，作为日本当时最高的空中庭园，给东京湾岸边又添了一道亮丽的风景。

管理方面，除了正常的管理之外，加设了人工喷灌装置，并采取措施应对夏季的干燥和猛烈的海风，对于乔木都要以支柱加固。

即使在东京都内也算绿荫丰厚的公共空地，高大的榉树和杜鹃花美化了大楼的周围

东芝大厦绿化图

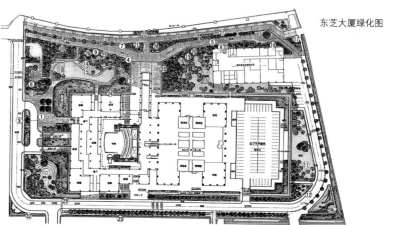

名　　称　东芝总部大楼（SKP）
地　　址　东京都港区
开 发 商　东芝第一人寿保险
发 包 者　三井物产
造园设计　清水建设
造园施工　石胜所
绿地管理　石胜所
规　　模　占地面积 4.5hm²
竣　　工　昭和 59 年（1984）

创建适应时代发展要求的空间

周围栽植的树木形成乡土森林，使自然复原

大厦正门一带的空间有着多种形态

中庭的一部分位于檐下，可用于避雨。每当春天来到时，庭园里盛开着紫杜鹃花

由石胜所编印的《东芝大厦周围绿化》是一本发给来访者的小册子，里面载有这里选用的树种

# 四季咸宜的城市广场
## 以鲜花装扮的人文空间

东京都新的政府大楼

在高楼林立的新宿地区，东京都新政府大楼大放异彩，它周围的绿化环境使大楼不再显得单调和呆板，并起着人与自然相互交流的重要作用。因此，在营造外部空间的作业中，应该根据不同树木的不同特点加以培育，并使之苗壮成长。

石胜所在东京都新政府大楼施工中负责议会大厦周围的绿化作业，此后又受托负责维护管理，迄今已有三年时间。在这过程中，要做的主要工作是草花的栽培。大楼前广场上，沿着弧形配置的排柱，总计设有12个花坛，花坛的鲜花一年开放7次，每次都呈现不同的颜色。在其周围还有修剪过的绿化带，一年当中也变换二三种不同的图案。目的是要以颜色和图案表现出季节的变化，让来到广场上的人感到恬适和惬意，同时也让单调呆板的建筑物显得更有生气，也借此焕发出附近街区的活力。

名　　称　东京都新政府大楼
地　　址　东京都新宿区
发 包 者　东京都政府
设　　计　丹下健三·都市建筑设计研究所
造园施工　石胜所JV等
绿地管理　石胜所等
规　　模　绿化面积51528m²（其中花坛面积108m²）
竣　　工　平成3年（1991）

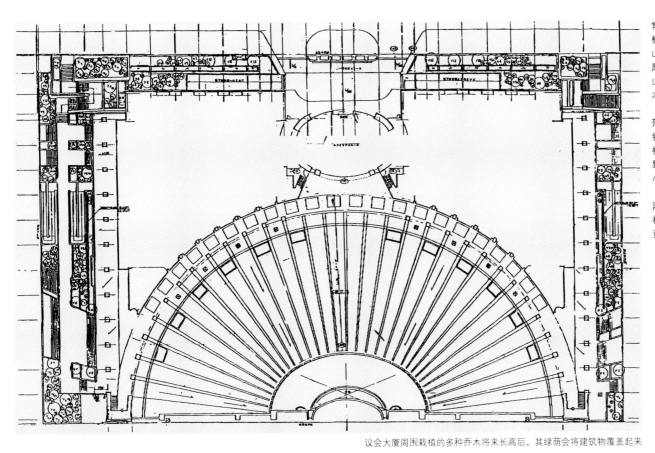

常绿树
楠
山桃
厚皮香
山茶
木犀

落叶树
银杏
榉
野茉莉
小橡子

灌木
杜鹃类
黄杨

议会大厦周围栽植的多种乔木将来长高后，其绿荫会将建筑物覆盖起来

5000 多株草花的更换只用 1~2 天时间

每隔 10 天，要对花坛进行浇水、施肥、喷药、授粉和补植等作业

花 期

| | | 4 | 5 | 6 | 7 | 8 | 9 | 10 | 11 | 12 | 1 | 2 | 3 |
|---|---|---|---|---|---|---|---|---|---|---|---|---|---|
| 冬 | 三色菫菜 | ■ | | | | | | | | ■ | ■ | ■ | ■ |
| | 仙人球 | | | | | | | | | ■ | ■ | ■ | ■ |
| | 西洋樱草 | | | | | | | | | ■ | ■ | ■ | ■ |
| | 紫荆 | ■ | | | | | | | | ■ | ■ | ■ | ■ |
| | 雏菊 | ■ | ■ | | | | | | | ■ | ■ | ■ | ■ |
| | 甘蓝 | | | | | | | | | ■ | ■ | ■ | ■ |
| 夏秋 | 万寿菊 | | ■ | ■ | ■ | ■ | ■ | ■ | | | | | |
| | 秋海棠 | ■ | ■ | ■ | ■ | ■ | ■ | | | | | | |
| | 天竹葵 | ■ | ■ | ■ | ■ | ■ | | | | | | | |
| | 一串红 | | | ■ | ■ | ■ | ■ | ■ | | | | | |
| | 代代花 | | ■ | ■ | ■ | ■ | | | | | | | |
| | 马缨丹 | | | ■ | ■ | ■ | ■ | ■ | | | | | |
| | 大波斯菊 | | | | | ■ | ■ | ■ | | | | | |
| | 指甲花 | | ■ | ■ | ■ | ■ | | | | | | | |
| | 孤挺花 | | | ■ | ■ | ■ | | | | | | | |
| | 瑞香 | | | ■ | ■ | ■ | | | | | | | |
| | 马鞭草 | | ■ | ■ | ■ | ■ | ■ | ■ | | | | | |
| | 金盏花 | | ■ | ■ | ■ | ■ | | | | | | | |
| | 日日草 | | | | ■ | ■ | ■ | ■ | | | | | |

# 创建公园式街区

## 以最新技术构筑的绿色屋顶庭园

世田谷商业区

由东京高速电铁和东急不动产合作开发的 SBS（世田谷商业区），以超高层商业设施和中层写字楼为主。石胜所承接了其中的造园规划、设计和施工等工作，并于竣工后负责对绿地进行管理。

为了创建一个人们工作、交谈、散步和休憩的恬适空间，该项目在规划时全面考虑到人们的所有活动情况。在宽敞的地块上，均衡地配置了 8 栋建筑物（高层和中低层都有），并辟有通道网络，上班者走出火车站，可经由地下通道直抵各栋大楼。当从地铁车站来到地面上时，林荫道会将你引向用贺散步道。散步道以花园路为中心，自大楼起贯穿整个地块，两边排列着一个个餐馆。

走在这样的街区上，如同在公园中漫步。它的另外一个特点是，中低层建筑依次成阶梯状配置，在平台上构筑绿色屋顶庭园。

用贺楠树公园和超高层大厦

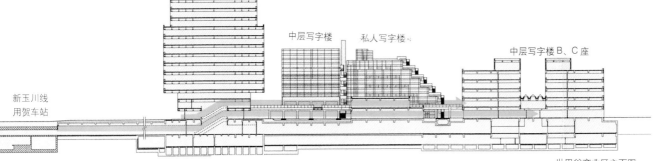

中层写字楼　　私人写字楼　　中层写字楼 B、C 座

新玉川线
用贺车站

世田谷商业区立面图

从超高层大厦上俯瞰中层写字楼群和用贺楠树公园

这里经过修剪的树木花草造型与建筑轮廓十分贴近，看起来就像是由绿色营造出的建筑。

从技术方面说，由于绿化带的70%都是人工地块，因此从排水方法到土壤的回填都应用了过去成熟的技术，但其中也引入一些效率更高的新方法和新产品。例如，单根的支柱一律固定在树坑内等等。然而，当人工地块与地平面在同一个水平面时，如果要在这里栽植大径树木难度比较大。在对各种工艺方法进行比较之后，决定将树木根部立在地上，以加厚土层的方式来确保树木的生长和支承。通过该项目的实施，石胜所取得了过去从未经历的作业经验。

项目规划中配置的丰满的绿色保有量，不管是从实质上还是从视觉角度上说都是前所未有的，这是建立在多次施工中积累的经验和技术基础上创造出来的。从这里也可以预见到一直高举技术体系大旗的石胜所未来发展的方向。

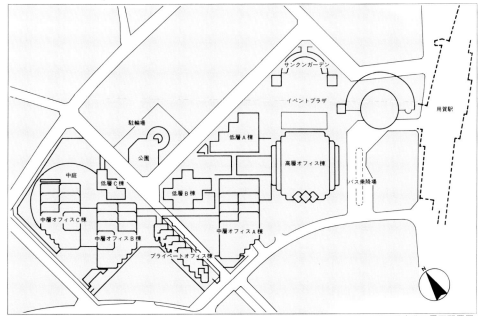

世田谷商业区平面配置图

名　　称　世田谷商业区
地　　址　东京都世田谷区
开 发 商　东京高速电铁 东急不动产
发 包 者　东急建设
咨询顾问　东急设计咨询 建筑师五人小组
造园设计　石胜所 JV
造园施工　石胜所
绿地管理　石胜所
规　　模　占地面积 2.1hm²
竣　　工　平成 5 年（1993）

**115**

用贺地铁车站出口

用贺散步道与楠树公园结合部的绿化带

以毛竹和菩提装点的角落很有一点日式庭园的味道

从私人写字楼望过街桥

用贺楠树公园和区属用贺西停车场

楠树树池缘部亦当做休闲座椅

餐馆平台上的绿色屋顶庭园

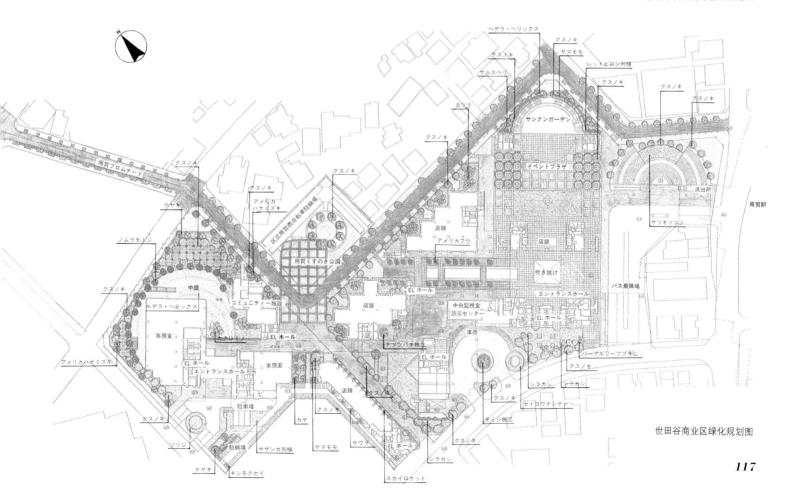

世田谷商业区绿化规划图

宫古岛东急旅游度假地于平成5年（1993）新建设施

# 在长期构想基础上创建的特色景观

具有鲜明地方特色的高水准旅游度假胜地

东急宫古岛旅游度假地的开发

冲绳本岛
久米岛
庆连间列岛

宫古岛
石垣岛
西表岛

118

## 宫古岛开发概述

　　自冲绳本岛乘喷气客机向南约需45min 即可抵达宫古岛。这座被珊瑚礁包围的美丽岛屿，年平均气温 23℃，一年四季鲜花盛开，绿宝石色的大海一望无际。

　　昭和 40 年（1965）前后，东京高速电铁看中了这里的自然条件，并预见到一个海洋休闲时代即将来临，遂计划在宫古岛开辟大型旅游度假区，而且在冲绳复归之前便已取得土地使用权。从那以后，经过 20 多年的开发建设，终于形成一个面积约 230hm² 的东急宫古岛旅游度假区。开发的第 12 年建成宫古岛东急旅游度假酒店，第 16 年度假海滨高尔夫俱乐部对外开放。目前，建立在长期构想基础上的开发工程仍在进行中。

名　　称　东急宫古岛旅游度假区开发
地　　址　冲绳县宫古郡
开 发 商　东京高速电铁
发 包 者　东急建设
顾　　问　石胜所
造园设计　石胜所

这项大型工程在实施过程中，从昭和48年（1973）起，由石胜所承接景观规划、造园设计、造园施工、高尔夫球场绿化、酒店和高尔夫球场的绿地管理等工作。进而，还全面参与了对农业问题的调查，提出了绿化树木栽培的构想和促进当地产业现代化的方案。

宫古岛是位于日本国内最南端的亚热带岛屿，经济上以甘蔗种植为主。在冲绳归还日本的当时，制糖业市场已经进入全球化阶段；但是，由于当地制糖业在价格上缺乏竞争力，加之天水和物价高涨的影响，使振兴经济和社会稳定成了宫古岛要面对的主要课题。为了使宫古岛旅游度假区的开发建设能够顺利展开，石胜所在当时对地区发展远景进行了展望，并力求为当地的人们所理解。为此，首先进行了农业调查。调查的内容是，农业的现状及未来的发展、花卉栽培的可能性和热带作物及果树栽培的可能性等等。在从各个角度进行全面调查的基础上，提出了"宫古岛绿化10年规划"。与此同时，石胜所还得到当地农协的支持，成立了学习会，增进了彼此的交流和理解。

为了在开发规划中体现"热带景观"这一概念，石胜所提出有必要提前开始热

## 宫古岛绿化 10 年规划

从促进农业现代化和地区开发等方面考虑，石胜所提出的"宫古岛绿化10年规划"的主要内容是：作为促进当地产业现代化的措施之一，结合当地的气象条件，提出一个开展花卉园艺树木委托生产的构想，并成立具体运作的宫古岛绿化中心。该中心的生产能力是年产苗木120万株，商品回转率为每3年回转1次。绿化中心由下地町农协和石胜所负责组织。

在委托生产中，以培育可创造热带景观的椰类树苗为主，同时也培育其他的花木。在这一前提下，还要致力于海岸防护林的建设，以防御台风灾难性的侵袭，保护现有的耕地，并成为宫古岛上的又一道风景线。

带花木培植的建议，并得到开发商的首肯。昭和48年（1973），建成苗圃，并培育了八丈岛产的9种椰类树苗1300株，可结椰果20000个。这个举措给开发中的当地经济带来复苏的契机，也使建立在农业调查基础上的方案初步得以实现，并加快了开发的进程。

在这个苗圃培育的椰类和花木类植物，全部被用于其后的开发中。即使是今天，为了将来开发的需要，石胜所还在不断追加椰树苗和花木苗的订货，这对促进当地经济的振兴无疑也起到了积极作用。特别是平成2年（1990）在大阪举办的国际花卉和绿化博览会上，其中的鲜花馆中也展出这里培育的椰树。而且，在这次博览会上展出的猴面包树，也是石胜所把它作为东急企业的象征树第一次从澳大利亚引进的。博览会结束后，猴面包树被移栽到宫古岛东急假日酒店前，每当夏季到来时，它便会开放出罕见的花朵。

酒店的建设与海滩的开发是同时进行的，原有的潮汐防护林被新的绿化带所取代。

经过20多年的长期开发，由于在景观设置和生态环境等方面采取了慎重周密的政策，使东急宫古岛旅游度假区的事业日益兴旺发达。

自然观赏区

宫古岛的民居

委托生产系统和流通系统示意

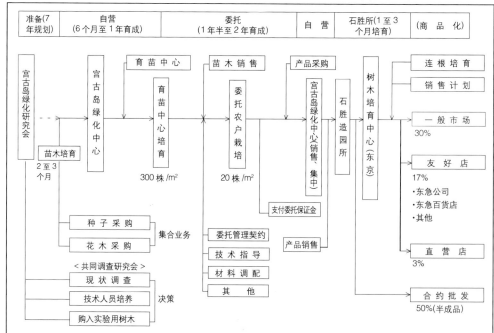

**中心区（约54hm²）**

位于规划地中央，靠近与那霸前海滩。除了建有开发中心的核心项目假日酒店外，还有其他一些公共设施，以提供圆满周到的服务。

**运动区（约81hm²）**

这是一处可常年使用的综合运动场所，其中的主体设施是高尔夫球场。

**休闲生活区（约70hm²）**

作为可真正享受度假生活的区域，以酒店为核心，还建有养老院等设施。

**自然观赏区（约19hm²）**

主要景观是已育成的数千棵椰树，还有其他一些亚热带花木，均可作为自然观赏用。

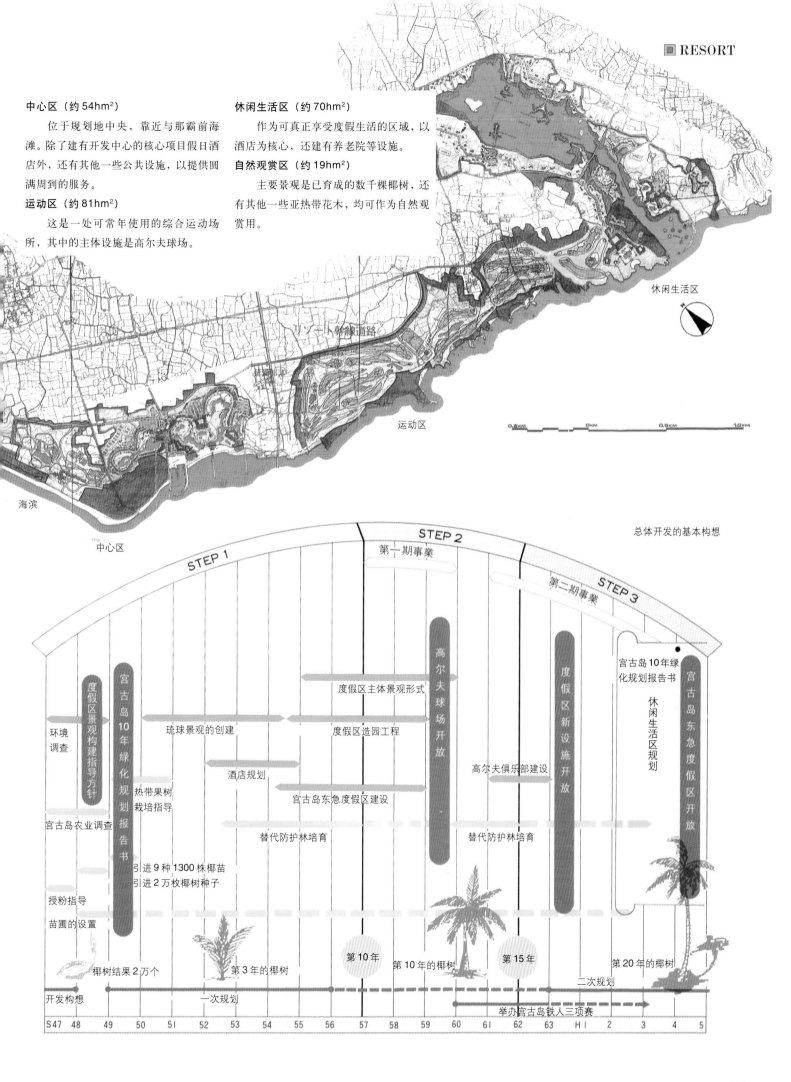

休闲生活区

运动区

中心区

海滨

总体开发的基本构想

121

通向酒店正门的道路

通向酒店正门的道路

从游泳池处望酒店

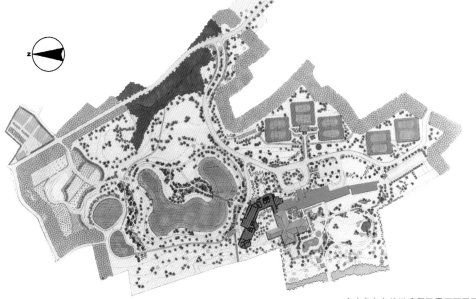

宫古岛东急旅游度假区平面配置图

## 宫古岛东急旅游度假区周围规划
### 从道路到入口处

通向旅游度假区的道路是与公路相连的，入口处有冲绳传统风格的石墙和以石灰等砌成的标志，以此来突出这里的冲绳文化色彩。

通向入口处的路边栽植的主要是椰树，其次还有胡桐一类的乔木，以及胡缨丹之类的灌木，它们被高密度地栽植在一起，整体呈现出热带森林的形态。在入口前的广场处，也有一部分椰林，其氛围会让客人觉得这里远离日常生活，一种奇异感油然而生。

从棕榈大厅里望中庭

通向餐厅的道路

从走廊里望中庭

装饰用坛子

壶屋陶瓷（守护神）

宫古陶瓷（瓮）

## 中庭

　　中庭的设计是这样的：整个庭院被综合楼环绕着，庭园是这里的观赏中心，里面龙头形的象征物给庭园蒙上琉球传统文化的神秘色彩，从周围回廊的任何角落都可以向中庭眺望。

　　中庭里主要的配置是流水、石砌墙面和热带植物。水流自冲绳特产素烧陶瓷制的龙头口中涌出，向下流去长达70余米。这样的水流在当地气温条件下，会因细菌类生物的滋生出现水质污染问题。为此，

以集管装置提高水流速度，使之永远不停顿，从而产生冲洗效果。而且水流经过处，均以石灰华贴饰，并打磨光滑，清洗起来十分容易。绿化地周围的石垣亦以琉球石灰华砌成，其表面做了凿削处理。

　　这里栽植的象征树有蒲葵和椰树；乔木有小果榕和桫椤；灌木有胡缨丹等；地面植被采用的主要是紫鸭跖草。以上均是突出其热带风光的特点。此外，绿化带的树木疏密相间，不会遮挡从酒店大厅里眺望大海的视线。

阳台

## 泳池花园

这是一处在原有的防护林被砍伐后,构建于酒店门前的宽敞庭园,里面栽植的树木以椰树为主,还有万年青等地面植被类植物和南美番泻之类的灌木。铺着草坪的庭园风格简约明快,充满热带海洋气息。酒店客房和游泳池周围遍布绿色植物,似乎可以抵御潮水侵袭。在沿海滩一侧也采用树池来植入树木。作为运动设施的一项,在高尔夫球场的绿色草坪上也设置了水池一类的障碍,这里也可以供游客赤脚戏水。美丽的景观把人们吸引到泳池花园这里来。

名　　称　宫古岛东急旅游度假区
地　　址　冲绳县宫古郡下地町
开 发 商　东京高速电铁
发 包 者　东京高速电铁
建筑设计　东急设计咨询公司
造园设计　石胜所
造园施工　石胜所
规　　模　占地面积 178hm²
竣　　工　平成 5 年（1993）

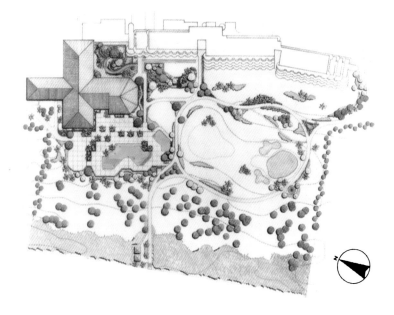

热带花园全景

## 热带花园

这是一座高密度地栽种着热带植物、富有浓郁南国风情的散步花园。

植物集中于散步路两侧，外周的耐潮性植物用来遮挡潮水的侵蚀。

## 热带果园

栽培着观赏用的热带果树，周围设有防风林。果园分成栽培区、外围区和园内区3部分。苗圃里培育的主要是香木瓜一类的树苗。

滨海湖散步路

苗圃

滨海湖周围的小果榕

在花卉博览会上备受青睐的猴面包树

从空中俯瞰绿宝石色的大海和海边的高尔夫球场

## 努力让景观构建具有资产增值的潜力

  东急宫古岛旅游度假区从开发到现在
已经过去 20 多年了，但至今创建新景观
的努力从没有停止过。在旅游度假区总体
框架内，不断地充实着已开业部分的景
观，并对原有景观加强了日常的管理和维
护。与此同时，又陆续增添了许多植物种
类。再过半个世纪，那时来到宫古岛上的
人们，一定会对这里丰满厚实的绿化带和
多元化的旅游度假环境惊诧不已。也许只
有到了那个时候，人们才会真正懂得，过
去数十年的努力，使景观作为资产已经大
大增值。

隔着海水的球场第 16 号洞

## 宫古岛铁人三项赛

昭和 59 年 (1984) 由东京高速电铁提议举办宫古岛铁人三项赛,目的是为了使宫古岛进一步走向世界,提高其知名度。昭和 60 年 (1985) 举行第一届宫古岛铁人三项赛时,包括日本,有 4 个国家的 248 名选手参加。但到了平成 5 年 (1993) 举行第九届比赛时,参加国增至 13 个,运动员有 1100 人,已变成一场真正世界级的体育盛会。为此,昭和 63 年 (1988) 曾获得国土厅长官奖。宫古岛的铁人三项赛对地区各项事业的发展起到了极大的推动作用。

全日本铁人三项宫古岛赛场的比赛从上午 8 时开始,选手在海中以三角形路线游完了 3km 后,上岸换乘自行车环岛骑行 155km,途中几乎路过所有名胜景点,然后经上野村,一边遥望城边町名崎的秀丽风光,一边进入平良市。选手在此甩掉自行车,在平良市城边町的东边名崎以往复路线跑完 42.195km 的马拉松全程。比赛后的发奖仪式通常要到晚上 10 点左右才能举行。

自从宫古岛举行铁人三项赛后,工期长达 6 年、与池间岛连接的池间大桥于平成 4 年 (1992) 完工通车。这样一来,自行车赛段的路线就变为跨过大桥直插池间岛了。此外,在平成元年 (1989) 7 月和平成 4 年 (1992) 7 月,又分别开通了自东京和大阪直飞岛上的航线。这一切,不能不说都是铁人三项赛带来的成果。

铁人三项赛游泳赛段的出发地

■

## 关于宫古岛椰树的逸闻

宫古岛开发规划敲定之后,当时东急系统的一把手已故的五岛升先生想出要在宫古岛上植椰树的主意,并由总部派人去现场做了详细考察。通过考察得知,适宜栽植椰树的地域,最北以台湾为限,如植在宫古岛上是很难开花结果的。

为此,他们最后拜访了当时住在夏威夷的美国农业部官员石藤男爵。他听了情况介绍后指出,关键是苗木不行,必须要在现地培育才能直接栽植。同时,他还建议从太平洋的雅浦岛用船运椰苗。不过,这需要一笔惊人的费用。石胜所后来提出从菲律宾引进椰苗,并为此搜集了相关的技术数据,经过一段时间实验,终于取得成功。

昭和 48 年 (1973) 12 月时的椰树苗圃

名　　称　绿宝石海滩高尔夫球场
地　　址　冲绳县宫古郡
开 发 商　东京高速电铁
球道设计　宫泽长平
造园施工　石胜所
球道管理　石胜所
规　　模　占地面积 78.3hm² ( 18 洞 6912 码 )
竣　　工　昭和 63 年 ( 1988 )

花丛中的第 8 洞

# 以日本技术在南太平洋开发的旅游度假胜地

## 从环境调查到景观构建

帕劳太平洋旅游度假地和关岛奥克拉饭店等

饭店的主要建筑。椰树与建筑的高度相当，使景观十分和谐。

从滨海湖处望饭店建筑

主入口

## 帕劳太平洋旅游度假地

　　这是一座位于南太平洋上的高级旅游
度假酒店，由东急不动产规划设计。石胜
所则参与了其中的造园规划、设计和施工，
并在竣工后负责管理。为了确保这一海外
项目取得成功，事先曾进行了3年的可行
性调查分析。其内容包括规划用地内的原
有树木、巨型石块的位置及其形状尺寸的
测量、造园用材料的来源等诸多方面。

　　日本的造园工程一般都以建筑物为主
体，造园的设计都是围绕着建筑物来进行
的。但是，由于在这里没有专门的植物造园
业，因此不可能有苗木的供应，必须先建设
培育植物幼苗的苗圃。苗圃作为造园材料的
供应地之一，成为施工前期的预备项目。

　　由海岸边的椰树和草坪以及内陆栽植
的当地树木组成的绿化带，一派热带风光，
使旅游度假地的环境更加贴近大自然（该
项目曾于1988年获夏威夷建筑师协会优秀
设计奖）。

酒店前面的海滩和跳台

泳池边

大厅边上的蔓亭

初步规划图

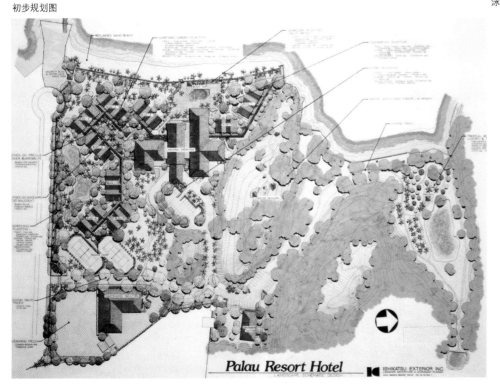

| | |
|---|---|
| 名　　称 | 帕劳太平洋旅游度假地 |
| 地　　址 | 帕劳共和国 |
| 开 发 商 | 东急不动产 |
| 发 包 者 | 东急不动产 |
| 建筑设计 | 梅地亚设计所 |
| 建筑施工 | 东急建设 |
| 造园设计 | 石胜所 |
| 造园施工 | 东急建设 |
| 环境调查 | 石胜所 |
| 规　　模 | 开发面积 25hm² |
| 竣　　工 | 昭和 60 年(1985) |

## 植物调查

植物调查的目的是要了解和掌握规划用地范围内的所有植物分布状况、典型乔木的位置和这些树木的高度和直径等。

首先要调查植物群落的结构，并依据其调查结果对地域内的植物进行分类。然后再将根据外观和品种划分出的各植物类型进行拓展，通过现场调查标在地图上，绘制出以不同颜色代表不同植物群落的植物分布图。

在这个基础上，制定出可以保护当地生态环境、并使植物生长得更加茂盛的对策。同时，对原有树木根据现场情况和作业需要做出取舍。

凡是直径 1m 以上的乔木，一般应予以保留，并作为景观树使用，并一一标明这些树木所处位置、树高、树冠直径、树形如何和树木种类。最后制成图表。图表中，还要标出巨型石块的位置和尺寸。

植物调查中

植物调查中

射干花

草海桐

帕劳太平洋旅游度假地周围的植物分布

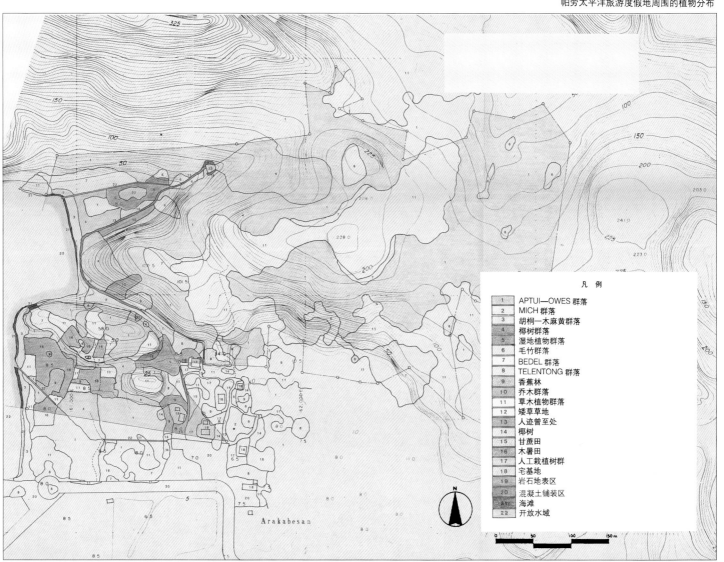

凡 例

| | |
|---|---|
| 1 | APTUI—OWES 群落 |
| 2 | MICH 群落 |
| 3 | 胡桐一木麻黄群落 |
| 4 | 椰树群落 |
| 5 | 湿地植物群落 |
| 6 | 毛竹群落 |
| 7 | BEDEL 群落 |
| 8 | TELENTONG 群落 |
| 9 | 香蕉林 |
| 10 | 乔木群落 |
| 11 | 草木植物群落 |
| 12 | 矮草草地 |
| 13 | 人迹曾至处 |
| 14 | 椰树 |
| 15 | 甘蔗田 |
| 16 | 木薯田 |
| 17 | 人工栽植树群 |
| 18 | 宅基地 |
| 19 | 岩石地表区 |
| 20 | 混凝土铺装区 |
| 21 | 海滩 |
| 22 | 开放水域 |

阿拉曼达

以椰树为主体的海滨花园

建筑阳台上栽植的花草

## 梅尔宾·凯那先生的大力协助

**森　俊策**　石胜所技术中心海外业务部

　　每当谈到我们在南太平洋进行的项目施工，总是忘不了梅尔宾·凯那先生的大力协助，我们相互间建立的友谊和信任已超越了公司之间的界限。

　　在现场参加造园工程的有好几家公司，却没有专门从事植物栽培和供应的公司。因此，所需苗木都要从夏威夷引进，并自己动手培育。我与凯那先生的友谊，始于 1986 年。当时正在进行关岛第一饭店和太平洋星级饭店的施工。凯那的公司与其他公司一样，也仅有 1 英亩左右的苗场，材料的供应总是赶不上施工的进度。为此，在工程进度结束时，设计图纸 80% 以上都是被修改过的。

　　从参与这两个项目开始，凯那先生吸取以前的教训，开垦了 6 英亩的苗场，培育出大批的苗木，充分地满足了石胜所施工的需要，使后来的饭店工程作业进度大大加快。

　　1990 年，石胜所开始在关岛建分公司。当时，正值石胜所进行体制全面改革时期，有些机制还没有建立起来。石胜所施工中所需要的苗木，完全依靠自己培育。然而，三年过去了，现在只要提前 3~4 个月预定哪怕 1 株苗木，凯那先生也会按时送到现场。石胜所完成的一系列高水平的造园工程，应该说没有一处不凝聚着凯那先生的心血，缺少他的大力协助，一切都难以如此圆满成功。

生长在夏威夷体格健壮精神饱满的凯那先生

凯那先生供应的树种

| ●椰树类 | ●树木 | ●灌木 | ●地表植被 |
|---|---|---|---|
| 旅人蕉 | 门派树 | 黑栌 | 高丽草 |
| 亲王椰 | 美洲合欢 | 灰楸 | |
| 德利椰 | 爪哇木棉 | 鸭矛 | |
| 女王椰 | 悬钩子 | 寄生 | |
| 大王椰 | 山荣 | 榉海桐 | |
| 马尼拉椰 | 花椒 | 文冠 | |
| 阿雷卡椰 | 盐肤木 | 丝兰 | |
| 孔雀椰 | 其他(高度 3 米以下) | 其他 | |
| 凤尾蕉 | | | |

(高度 1~3 米) 各 50 株
椰类植物多为从种子培育而成，时间约需五六年。
6 英亩的苗场上，平时管理人员为 10 人左右。主要工作是浇水、除草和育苗。

关岛奥克拉饭店入口

关岛奥克拉饭店

## 在关岛的作业

在帕劳、新加坡玛丽娜广场，文莱王官花园、宫古岛东急旅游度假区和全日空万座海滨饭店等一系列项目中积累的经验，最终也在关岛热带景观的创建中得以推广和应用。尽管掌握热带植物的特性需要一定的时间，但还是在设计和施工中充分利用了不同树种的特色，这是应该引以为豪的。

即使同处热带地区，也会因纬度不同，其自然条件会有很大差异。因此，明确这种差异因地制宜地选择合适的植物配置，是设计上的关键所在。不用说树种，连气温、湿度和照度都应以仪器精确测量，将数据记录在案。在海外施工中，这些都马虎不得。

除此之外，在海外施工时还有一个如何防止白蚁蛀蚀的问题。白蚁往往会从土中钻出附着在树木上或爬到饭店的木制家具上，因此必须进行彻底的消毒。最后还有必要克服语言上的一些障碍，分别以日文、英文和拉丁文正确标出树木的名称。

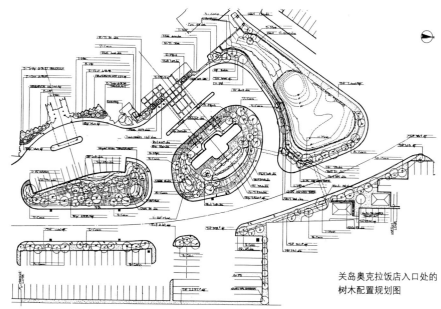

关岛奥克拉饭店入口处的
树木配置规划图

太平洋星级饭店

| 名 称 | 关岛奥克拉饭店 |
| --- | --- |
| 地 址 | 美属关岛 |
| 开 发 商 | 奥克拉饭店 |
| 发 包 者 | 奥克拉饭店 |
| 造园设计 | 石胜所 |
| 造园施工 | 石胜所 |
| 监 理 | 观光企划设计社 |
| 规 模 | 2.1hm² |
| 竣 工 | 平成3年(1991) |

关岛娱乐酒店

关岛雷欧娱乐酒店

关岛第一饭店

关岛雷欧娱乐酒店

全日空万座海滨饭店的造型有如大贝壳。贝壳的中心是一个宽敞的大厅

## 南太平洋旅游度假地的开拓者

　　饭店大厅里布置的树木以椰树为主，并配以其他热带花木。热带树木，尤其是地表植被都成熟较早，在生长周期上与温带有很大不同。这也是我们在南太平洋旅游度假地进行绿色景观规划时学到的知识。

●常用花木
香木瓜
香蕉
椰树
芭蕉
等等

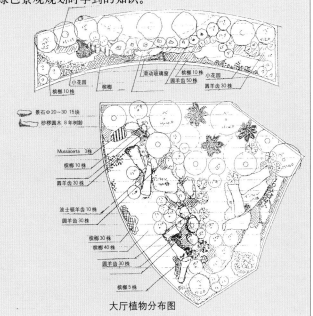

大厅植物分布图

# 坐落在绿荫中的网球俱乐部

## 以移植乔木形成的丰满的绿色保有量

多摩川园网球俱乐部

俱乐部建筑和球场

俱乐部建筑侧面以山桃作为象征树
图中道路表面铺的是伊予青石

由东急不动产出资建设的网球俱乐部，号称亚洲第一，一直是东急集团的骄傲。网球俱乐部坐落在多摩川园遗址附近，这里是人们熟悉的观光胜地。网球俱乐部周围造园的规划、设计和施工，以及竣工后的绿地管理都是由石胜所承担的。

因为地处风景区，所以对自然环境不能造成损害，必须尽可能地利用原有林木，在总体设计理念上，是要建成一座"纯日本风格的庭园"。在庭园中配置水池和小溪，以充分地利用这里丰富的地下水资源，让庭园里形成庄重典雅的氛围。

### 溪渠施工

由于地块内的三分之一铺设有排水管道，因此施工前向东京都政府提交了"多摩川风景区树木移植申请书"。在移植树木的同时，多摩川园的解体工程也着手进行了。

根据对绿苗树木现状的调查，建立了苗木培育场地。在以传统方式移植银杏和柳树的基础上，又改用A法工艺对古老的榉树和柯树的根部做保护性处理。

这棵白柞也是移植的

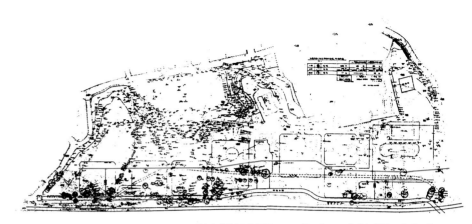

图中红线以下范围是一、二期工程开工前进行的地下水道工程

## 一期工程

在开发申请获得政府批准后，俱乐部建筑、20多个场地和周围的造园工程同时开工。

这里的造园工程可以举出3个特点：第一，为丰满的绿色保有量进行的大树移植。移植时因地下水位较高，故采取了树根展开的锅形树池，以高植工艺方法培土，使树池抬高。

第二是水的利用。引出田园瀑布的水，形成一条宽1~1.5m的小溪，水流清澈见底，其中放养了鳟鱼和嘉鱼。

第三是古石的再利用。埋在二子玉川园地块内的铁道铺石和珍贵的古石都得到了有效利用。铁道的铺石被用来砌散步道的台阶和铺入口处的道路。开始，一些穿高跟鞋的女士抱怨说，走在这样的路面上很不舒服，后来，又修了一条高跟鞋专用路面。

## 二期工程

接着，造园工程与屋内球场施工同步进行。随后又修建了停车场，直至网球俱乐部全部建成。

表1 工程所需树木清单

|  | 水道工程 | 一、二期工程 |
|---|---|---|
| 残存树木 | 27棵 | 464棵 |
| 伐采树木 | 103棵 | 173棵 |
| 移植树木 | 92棵 | 41棵 |
| 移植灌木 | 456棵 |  |
| 总　计 | 222棵(乔)<br>456棵(灌) | 678棵 |

表2 新栽植树木

| 乔木 | 422棵 |
|---|---|
| 中木 | 50棵 |
| 灌木 | 1575棵 |
| 草坪 | 9750m² |

### 包根工艺（A法）

除了丘陵和高地以外，通常情况下地下水位较高，树木根部变得又浅又散，这就需要将树坑挖得很大。如果要将树坑缩小，又不影响根部对营养的吸收，可采用包根工艺（A法）来栽植树木。

A法的特点是，树木的选定、护根的时间和树坑的挖掘与普通工艺相同，但其树坑的容积只有普通树坑的二分之一。

如果采用普通工艺切除掉部分树根，就不能充分吸收营养，树形也无法保持，则不能作为景观树来使用。但是，采用A法，虽然树坑只有一半大，由于对根部做了促进发育的处理，树坑周围进行适当的封闭，将树根周围包上堆积肥，可以短时间内生出许多营养根，即使枝叶掉光，也会重新长成茂密的大树。根部重量的减轻，会使作业更容易一些，往外挖掘时，新根的损伤也会减少。

多摩川网球俱乐部的树木移植作业不仅采用了A法，而且对高地处的3棵古老的柯树也下了挺大的工夫。为了解决因16 m的坡度差造成的地下水不足的问题，采用树坑周围封闭的方法，以保证树木可得到充足的水分。

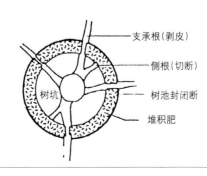

支承根（剥皮）
侧根（切断）
树池封闭断
树坑
堆积肥

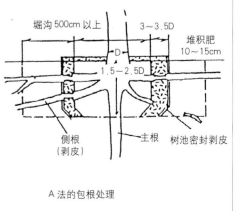

堀沟500cm以上　　3~3.5D
堆积肥10~15cm
D
1.5~2.5D
侧根（剥皮）
主根　树池密封剥皮

A法的包根处理

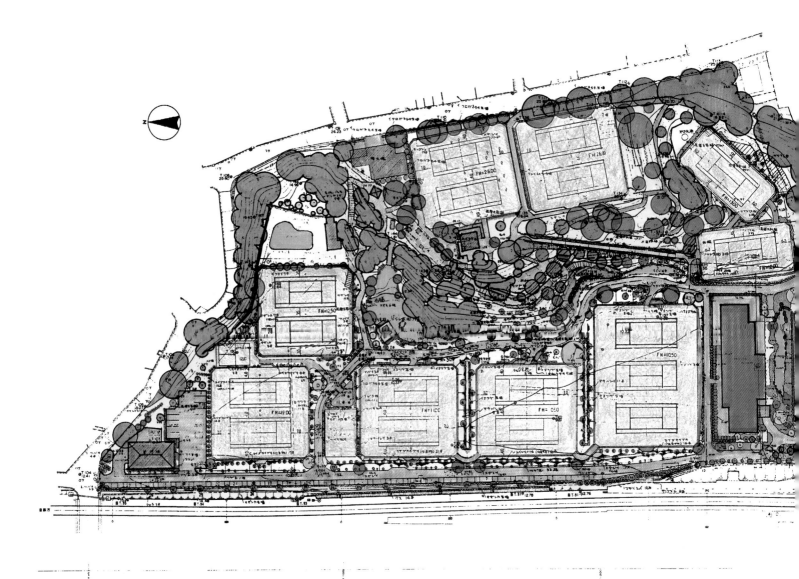

田园瀑布

从东南方向看到的俱乐部建筑

散步路尽头的小溪

室内球场附近的亭子

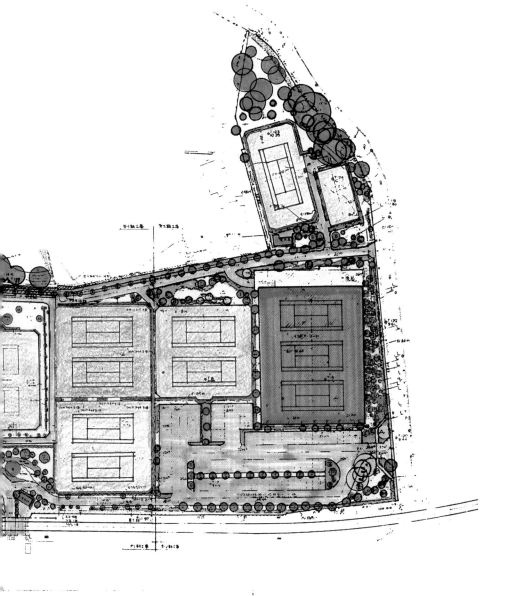

栽植的树木种类

| 第一期工程 | |
| --- | --- |
| 楠 | 野茉莉 |
| 山桃 | 木犀 |
| 白梅 | 犬黄杨 |
| 山茶 | 杜鹃 |
| 紫山茶 | 黄杨球 |
| 梅 | 蔓蔷薇 |
| 红叶 | 厚皮香 |
| 樱 | 紫薇 |
| 辛夷 | 吉野杉等 |
| 榉 | |
| 菩提 | |
| 桫椤 | |

| 第二期工程 | |
| --- | --- |
| 紫山茶 | 扁柏 |
| 红叶 | 雪杉 |
| 楠 | 柯 |
| 百日红 | 白橡 |
| 菩提 | 山茶 |
| 木犀 | 犬黄杨 等 |

高地处的亭子。以砍伐的银杏树制成的木桌和长椅

以铁道铺石砌成的阶梯

置于溪流中的洗手盆是利用挖掘出的石材制成的

| | |
| --- | --- |
| 名　　称 | 多摩川园网球俱乐部 |
| 地　　址 | 东京都大田区 |
| 开 发 商 | 东急不动产 |
| 发 包 者 | 东急不动产 |
| 造园设计 | 石胜所 |
| 造园施工 | 石胜所 |
| 规　　模 | 占地面积 4.9hm² |
| 竣　　工 | 昭和 57 年(1982) |

# 在滑雪胜地营造的草原景观

## 从始至终将环境保护置于头等地位

### 大凸平滑雪度假区

里磐梯凸平地区是福岛县旅游区总体规划中的项目之一。项目中的占地位于里磐梯小野川湖边西大岭的南坡上，是这一地区惟一的国立公园。这里视野开阔，冬季覆盖着厚厚的雪层，作为滑雪场具有很大开发潜力。在由东京高速电铁规划的大凸平滑雪度假区项目中，石胜所参与了初步方案的制订，以及随后的设计、施工和绿地管理。

### 基本构想

由北盐原村招标的度假区设计方案应募作品中，有一件中标。这个方案以里磐梯地区整体为对象，在优化配置自然资源的同时，开发建设一个可常年利用的复合型度假区。依据社会的需求，总的定位是活跃地方文化和振兴地区经济的综合地域开发。作为开发理念，是要营造一个适应范围广，利于游人身心健康的综合娱乐空间。这个空间要不分季节，可在一年当中的任何时候使用。其主体建筑是饭店，主要的设施是滑雪场，另外还建有一些配套的娱乐设施。

项目的进展如下：

昭和 61 年（1986）9 月　开发构想的提出

综合娱乐区的概念图

大凸平饭店的对面即是滑雪场

昭和 62 年（1987）9 月　方案招标

昭和 63 年（1988）8 月　现场调查和景观规划

平成 2 年（1990）　植物及生态环境调查

平成 3~4 年（1991~1992）　饭店周围造园规划和施工

平成 5 年（1993）　练习场草原景观规划和施工

### 植物和生态环境的复苏

规划区域海拔 1500m 以下的部分属于落叶阔叶林带，但自古以来由于人为的影响，山毛榉林减少，水杉林一类的二次林和落叶松林之类的人工林多起来。

在海拔 1400~1500m 的亚高山带的临界地区，有一些大径山毛榉的古老自然林，林地上还生长着茂密的毛竹。除此之外，这里也混杂着一些级木之类的大径树。

水杉林展开在规划区较低的地块上，在这里还特意保留了以级木、樱、枫等为主的乔木和杜鹃之类的灌木。

落叶松是这里面积最大的树木，但从海拔 1200~1300m 这一带往上，则明显地不再具有规模。

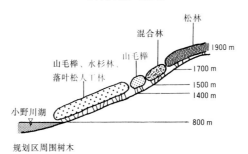

不同标高的 4 种形态

规划区周围树木

名　　称　大凸滑雪旅游度假区
地　　址　福岛县耶麻郡
开 发 商　东京高速电铁
发 包 者　东急建设
造园设计　石胜所
造园施工　石胜所
绿地管理　石胜所
规　　模　开发面积 420hm²（滑雪场 58hm²）
　　　　　规划开发总面积 1300hm²
竣　　工　平成 4 年（1992）

138

● 落叶松单层林作业前
(树高 8m 保留率 80% 以上)

| 树 种 | | H(m) |
|---|---|---|
| a | 落叶松 | 8 |
| b | 黄 檗 | 4~5 |
| c | 岳 桦 | 2 |
| 林地 | 弯根竹 | 1.5 |

● 作业后 伐一留三
由落叶松单层林变为针阔混合林
落叶松林作业图例

落叶松林作业实例（在间伐后植上新苗木，逐渐成为有活力、富于变化的树林）

被毛竹覆盖的林地景观显得很单调，因此要进行修剪并除去一部分，只有这样才能使林地上的植物更好地生长。

海拔1500m以上主要分布的是由常绿针叶树构成的亚高山林带。山毛榉几乎见不到，由于林地都为毛竹覆盖，因此其他灌木难以生长。毛竹大多以5棵为一簇，有群生群灭的特点，需要一定的培育。

**滑雪场的特点**

通常情况下，要建滑雪场必须将现场内的树木砍光，整体上重新配置。但凸平滑雪场在建设中将树木的采伐和人工栽植的数量缩小到最大限度。凡是高度在50cm以上的凸起物(石头或树根等)，从安全上考虑都必须清除，但比缆车山顶站更高的地方留有大径树木，下面滑雪场上的树木也尽可能地保留下来。

由于从练习场往上地势比较平坦，因此至缆车乘降站这一段造出一个滑雪坡度和练习用滑道。

整个方案体现出因地制宜、顺其自然的开发原则。

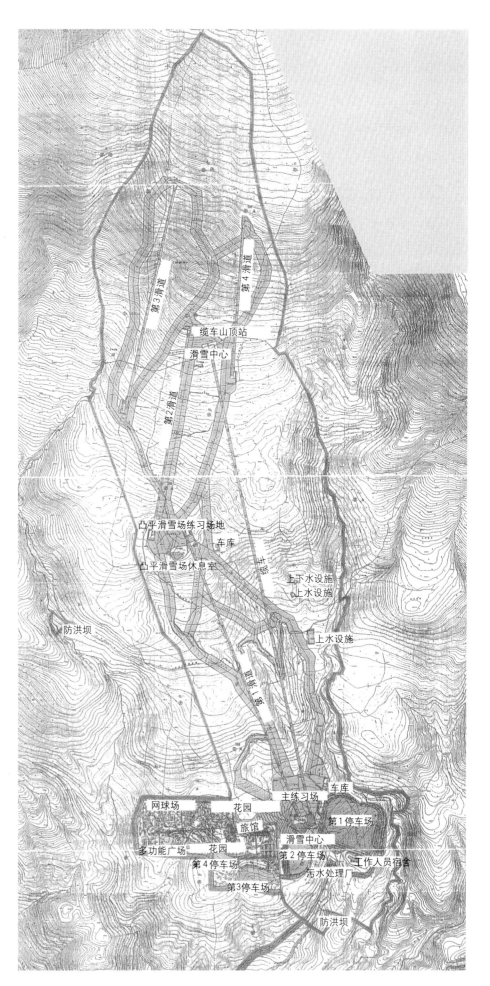

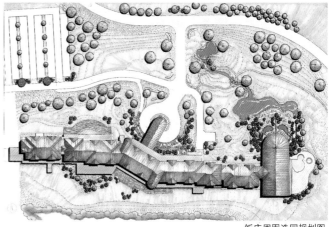

饭店周围造园规划图

草原和水边景观

## 构建草原景观

饭店的用地周围是以牧场为原型构建的草原景观。在缓缓起伏的草坪上，分散地生长着一棵棵高大树木，水边密布着草花和花木，一年四季演绎着不同的形态。

这里以山毛榉为主，共移植了小橡子、枫树和赤杨等大径树180棵，饭店周围还有欧亚花楸和红叶之类的树木。灌木和地面植被多选用色彩明亮、花期较长的草花和花木，它们被配置在水池周围和小河岸边，一群群的飞鸟和蜻蜓被吸引到这里来。

## 夏季利用的花坛

为了满足夏季来这里的游客的需要，在滑雪中心前的练习场地上开辟了大面积的花坛，并建有环游路。这个花坛景观营建计划预定5年时间完成。

在未来的数年里主要是以栽种野花为主，与此同时也试图以自己培育的花种来进行绿化。所谓的野花，也是含有部分野生草花的园艺用草花，即使不与自育花种交配也可以保持较高的成活率，它具有调和周围环境和花卉观赏的双重功能。依据平成2年(1990)提出的自然环境调查报告，里磐梯地区的自育花种中有477种植物已被确认，从中选出了符合该项目要求的多年生品种。不管是野花还是自育花，都要求能适应练习场的自然条件：喜爱阳光、不怕干旱。为了防止病患，不能选用单一品种，而是要多品种混合栽种，而且还要区别开高茎和低茎的不同类型，合理搭配形成美丽的图案。

为了加强花坛的景观效果，有必要以草木植物铺展出绚丽多彩的形态。可

饭店入口处的造园

采用的形式有面、点、线等3种，在练习场这里主要以面的形式营建景观。

在环游散步道，从自然保护的角度出发，只使用自育品种，表现手法是线和点2种。环游散步道作为可让游客饱览自然风光的设施之一，应该注意的是必须保证游客安全，并让游客感到舒适、怡人。

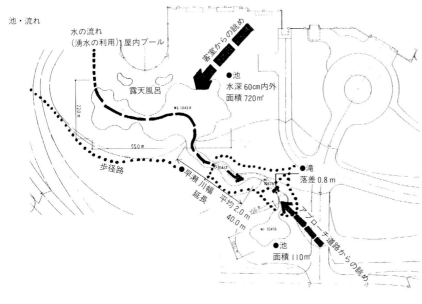

饭店地块内起伏的地形和天然水流

| 野花 | |
|---|---|
| ●1年草 | ●多年草 |
| 铃虫草　金梅草　鱼腥草　大花草　纸莎草 | 飞燕草　金梅草　蟋蟀草　香馥草等 |

| 自育草种 | |
|---|---|
| ●荷兰防风草 | ●百日草 |
| 高丽草 | 欧蓍草 |
| 起绒草 | 木犀草 |
| 风铃草 | 知风草 |
| 鼠尾草 | 马鞭草 |
| 鼠曲草 | 龙须草 |
| 母子草 | 苓草 |
| 狗尾草 | 白茅 |
| 狐尾草 | 虎耳草 |
| 西班牙草 | 芨芨草 |
| 猪笼草 | 益母草等 |
| 宫人草 | |

拟栽入花坛的品种

## 法恩寺山旅游区营建的草原景观

1993 年冬对外开放的法恩寺山旅游区是福井县奥越地区旅游开发总体规划中的重点之一。法恩寺山和芳野原周围地区的大型滑雪场是这个综合娱乐项目中的核心部分。与里磐梯凸平地区一样，在项目的初步规划阶段，为了使项目能最大限度地利用当地自然环境特点，提出了一个集中众多景观建筑设计师构思和技术的方案。如同类似项目的开发一样，该项目的设计主题不是要引进一系列新的体育设施和建造豪华的饭店，而是要在保护自然环境的同时来构筑一个娱乐场所。具体地说来，要划分出滑雪场、娱乐城、高尔夫球场和各区间道路。与此同时，要将规划区整体上形成大草原景观，在高尔夫球场则要实施不用农药的草坪管理。

不管是里磐梯凸平还是法恩寺山旅游区，都试图将草原景观作为滑雪场的设计概念。标高 1357m 的法恩寺山，由 600m 处的芳野原高地自然植被构成了优越的自然环境，并有着丰富的自然资源。除此之外，这里也有一些不成林的杉树和开垦地，需要在今后不断地栽培，让植被逐渐复苏。再有，就是滑雪场地的地貌也必须复原。以自育草种营建草原景观其实也是为了达到这一目的。要使这样的技术成熟，则需要在当地进行长达 4 年的实验。

就连高尔夫球场，为了实现保护自然环境的理念，也在实验苗圃里进行了防治草坪病虫害的研究，从而选出适应当地自然条件的草种。

在景观规划之外，还有许多软环境建设方面的工作要做，如 CI 设计等。

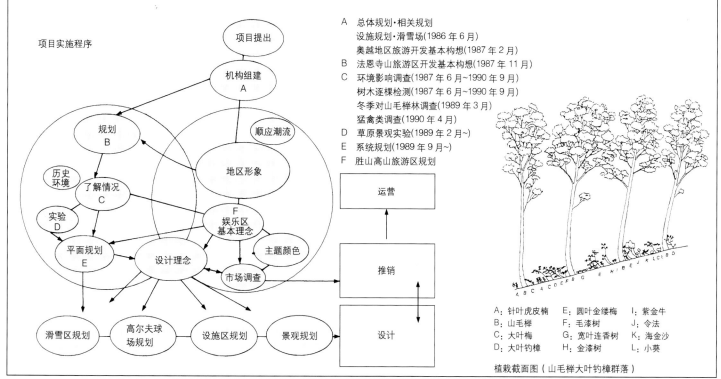

项目实施程序

A　总体规划・相关规划
　设施规划・滑雪场(1986 年 6 月)
　奥越地区旅游开发基本构想(1987 年 2 月)
B　法恩寺山旅游区开发基本构想(1987 年 11 月)
C　环境影响调查(1987 年 6 月~1990 年 9 月)
　树木逐棵检测(1987 年 6 月~1990 年 9 月)
　冬季对山毛榉林调查(1989 年 3 月)
　猛禽类调查(1990 年 4 月)
D　草原景观实验(1989 年 2 月~)
E　系统规划(1989 年 9 月~)
F　胜山高山旅游区规划

A：针叶虎皮楠　　E：圆叶金缕梅　　I：紫金牛
B：山毛榉　　　　F：毛漆树　　　　J：令法
C：大叶梅　　　　G：宽叶连香树　　K：海金沙
D：大叶钓樟　　　H：金漆树　　　　L：小葵

植栽截面图（山毛榉大叶钓樟群落）

# 人与自然共生的 21 世纪城市

## 创建含有生态系统的水边城市

荷兰城　获日本造园学会设计作品奖

## 城堡——城市的雏形
### ハウステンボス - 都市形成史

**城堡形成和发展的 5 个阶段**
　　城堡作为城市的雏形，其形成和发展大体分做如下 5 个阶段。

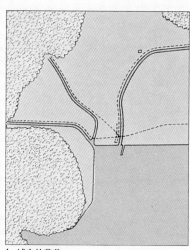

**1. 城市的萌芽**
　　12 世纪中叶，在河流入海口一带出现了渔民集中的小村落，并在河口和港湾周围以木材构筑房屋；而在河的上游地带，领主建造了石城。由于人们相互往来的需要，便修建了道路，人口也不断增加。

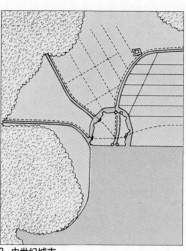

**2. 中世纪城市**
　　市政厅和教堂都建在广场周围，面对港湾的鱼市日见繁荣。港口设施的逐步完善，促进了贸易的发展，给当地带来巨大的收益。城市规模扩大，到 15 世纪便出现了有城门和瞭望塔的真正城堡。

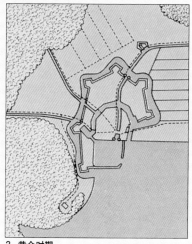

**3. 黄金时期**
　　17 世纪，日益完备的航海技术和较先进的造船工艺促进了各国间的贸易往来，这时，形成了今天城市的框架，木造房屋逐渐为砖砌建筑所取代，在面向内港的岸边建起成排的仓库，贵族的豪宅也出现了。

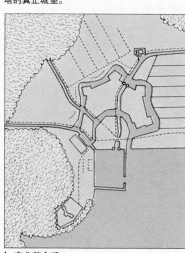

**4. 产业革命后**
　　当产业革命进入 19 世纪后半期时，城市发展也开始了一个崭新的阶段。人们又重新大量流入城市，部分城墙被拆除，城市规模不断扩大。公共建筑和道路日益完善，开始向现代化迈进。而另一方面，贵族的豪宅也在扩建，并在豪宅周围构筑庭园，变成了皇家行宫。

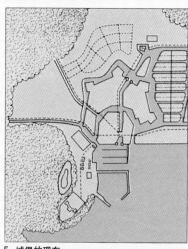

**5. 城堡的现在**
　　在现代化进程中被废弃的部分在修复后成为公园，古老的广场周围一带是城市的中心，被人们称为"老城"。人们对这里的一切都感到很亲切。过去的通商港口，现在成为游艇的停泊场，千帆竞渡，百舸争流。城市的郊区作为现代化的新街区，建起成片的住宅。

从港口望阿姆斯特丹饭店和多姆特伦塔

从大村湾看到的傍晚景观

夜晚的多姆特伦塔

## 规划地块概况

规划地块的一大部分是昭和47年(1972)至昭和59年(1984)期间填海筑地形成的。地块的北侧和西侧是丘陵，其余部分地势平坦。全部占地面积共计152hm²，分为开放区、远景规划区和配套设施区3部分。其中开放区（购票参观景区）28.7hm²，独立住宅和公寓式别墅占地16.3hm²，游客用停车场21.7hm²，配套设施（管理、污水处理、员工停车场等）占地4.6hm²，人工开凿运河面积10.7hm²。规划和设计时，对以上各区的建筑分布和设施配置进行了统筹安排，以保证整体上的统一和和谐。后期在开放区又增建了皇家行宫庭园2.7hm²。

名　　称　荷兰城
地　　址　长崎县佐世保市
开 发 商　荷兰城
发 包 者　荷兰城
设　　计　日本设计所
造园设计合作者　石胜所
造园施工　石胜所
占地面积　152hm²
竣　　工　平成2年 (1990)

图例：
- 博物馆、美术馆
- 餐馆、店铺
- 服务设施
- 娱乐设施
- 住宿设施
- 预计二期规划后开放

0　50 100　　200m

❶ 入境国门
❷ 奈安洛德城堡
❸ 出境国门
❹ 公共汽车、出租车待客站
❺ 苏格兰中心
❻ 风车
❼ 农舍
❽ 城门
❾ 神秘城堡＊
❿ 天文馆
⓫ 宇宙帆船馆
⓬ 企业馆
⓭ 诺亚剧院＊
⓮ 水晶梦幻＊
⓯ 卡拉扬交响乐团＊
⓰ 动画世界＊
⓱ 八音自鸣钟＊
⓲ 西博尔特出岛兰花馆＊
⓳ 玛莲中心
⓴ 水门
㉑ 国际商店
㉒ 大厅
㉓ 海牙商店街
㉔ 荷兰民族博物馆
㉕ 阿姆斯特丹旅馆
㉖ 尤特莱希德广场
㉗ 多姆特伦塔＊
㉘ 尤特莱希德餐馆街
㉙ 迎宾馆
㉚ 欧罗巴酒店
㉛ 伦勃朗厅
㉜ 海味餐馆
㉝ 拍卖行
㉞ 航海体验馆＊
㉟ 海洋世界
㊱ 鲍尔塞恩博物馆
㊲ 帆船博物馆及爱好者俱乐部
㊳ 健康中心
㊴ 维拉森林
㊵ 皇家行宫
㊶ 灯塔
㊷ 别墅
㊸ 行宫车站
㊹ 信息中心
Ⓟ 停车场

有＊记号处是收费设施。

田园区
新市区
老城区
森林区
港　区

荷兰城规划方案

港区夜景

摩利兹广场

## 景观的概念和渐次展开

### 1. 景观及其构筑

景观构筑要达到的目标是，"美的景观"、"荷兰风格的景观"和"娱乐性景观"。为做到以上3点，采用了以下的构筑手法。

### 2. 美的景观

美的表现在于景观创造中多层次的配置和富于变化，必须将景观之间的相互关系、色彩的连续性、面积和丰满程度纳入视野中来。与行道树和落叶树之类景观素材的选择比较起来，构筑美的景观时的表现手法则显得尤为重要。这些表现手法的要点是：

● 渐次展开

所谓序列景观，是指随着视点移动展开的景观，它要求景观要引人注目，外形大小富于变化，配置适当，表现出节奏感和韵律感。

● 图画效果

所谓图画效果，是指在野外景观中将视点和对象准确定位，应该指出景观的重点。即把创造符合环境特点的图画效果作为美的景观表现的前提条件。

● 排除消极因素

从整体和大局着眼，为了构筑美的景观，就必须拆除一些内部景观和与总体规划不协调的景观。

### 3. 荷兰风格景观

荷兰的城市景观、农村景观和运河景观等等，都是依地势而建。据此，在规划区的不同位置，因地制宜地构建荷兰风格景观。

荷兰城的景观构筑理念是，学习荷兰人改造生存环境的做法，构筑面向21世纪的景观，营造新的休闲娱乐空间。长期以来，荷兰人为了扩大生存空间，在重视人与自然环境关系的同时，有计划地不断填海造地。他们在城市建设上的理念是，生态环境不被破坏，营造一个有利于身心健康的生活空间。荷兰城的景观创造也遵循了这一原则，将东西方文化融合在一起，展现出新的姿态，成为著名的休闲娱乐场所。

景观的渐次展开

视线　过渡带

动线

图画效果

视点场　对象场

周边景观

内部景观的保护
消极景观的排除

独立性

视点　视点　good　海
消极景观

绿化

消极景观

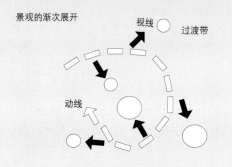

运河和平台

港区街道和多姆特伦塔

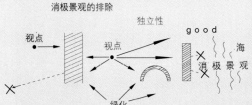

福雷斯特威尔的水面

优特雷特广场的水边平台

福雷斯特威尔人工湖对面的威尔内斯中心

优特雷特广场的水边平台

皇家行宫庭园的喷水池和行宫建筑

通向皇家行宫正面的道路

荷兰商船和运河游览船

从花坛处望奈安洛德城堡

水边的花坛和风车

运河及其岸边的单体住宅

运河

摩利兹广场上的大理石喷水池

老城街道

从欧罗巴酒店远眺

老城中的塔式建筑

运河上的游览船

港区街道上的木板平台

岸边地面上的红砖和木板铺装，远处是帆船"咸临丸"

阿姆斯特丹饭店和砌石护岸

## 4.整体景观

荷兰城景观构筑中的绿化部分，按以下思路进行规划设计：

①在总体配置上错落有致、渐次展开，景观的构筑有如一幅风景画，会吸引游人的目光。绿化所需树木种类不必很多，以主要的几种构成景观的主体。与此同时，还以每条道路和每座建筑作为景观单元，有计划地栽植种类近似的树木，即使游客易于分辨不同的方位，又使整体景观和谐统一。

②拆除周围那些与总体规划设计格格不入的消极景观，加强对荷兰城内特色景观的保护，做好这两方面的工作，就会产生倍加效果，也会扩大绿化面积。

③荷兰城内部的绿化应向街区倾斜，其树种结构也应从常绿树向落叶树过渡，并要适当降低栽植密度。老城栽植的单体树木，其树冠造型和绿荫厚度是应值得重视的问题。在景观构成上与毗邻的建筑群相融合，有时还具有一定象征意义。

④在街区、港区、游艇码头、住宅后院和停车场以外区域，都分别以不同的主题进行人造林式的绿化。在树种的选择上要能够表现出荷兰自然景观的特点，尤其是以形成落叶树林为最终目标。

⑤对荷兰城内部的行道树和成行成列的树木，要确定合适的间隔，在将来树冠长大后不致于影响到街区开阔的视野，可以想像得到的是，为了能符合荷兰街区形成与地势之间关系的实际情况，栽植的林带也同样要起到农田防风林的作用。

⑥为了能更好地体现植物、水和阳光这3个景观构成要素的特色，要以一年为时间单位制定规划。

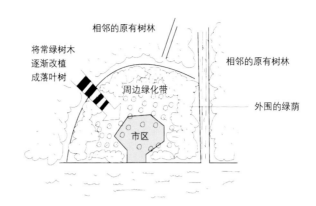

景观渐次展开图

（A）主动线和其他动线

（B）水上动线

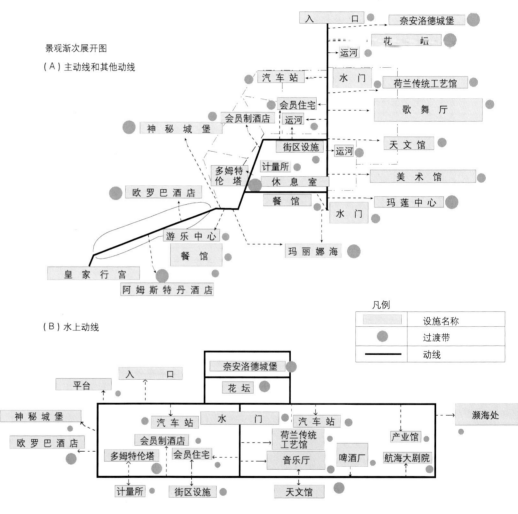

| 凡例 | |
|---|---|
| 设施名称 | |
| ● | 过渡带 |
| ── | 动线 |

水边的花坛、风车和白杨

美术馆柱廊前的运河边小路和象征树水胡桃

港区街道

老城街道

运河及其岸边的平台，象征树是水胡桃

皇家行宫前院。右边是坦帕克饭店，左边是多姆特伦塔

## 土壤改良计划

对皇家行宫规划用地(港区、田园、别墅区、运河、入口处、老城和绿化区)进行土壤情况调查的结果,搞清了以下5个问题:

①土壤里普遍混有卵石。

②是还原土。

③排水通气性差。

④含盐过高。

⑤pH值不适合栽植。

有鉴于此,作业前对有关如何改良劣质土壤的问题曾做过多次研究,并制定出土壤改良方案。

## 改善运河中海水含盐量过高的状况

运河是开凿在填海筑地区域,河水中有二三层 TP0.3m 的自由水面,起到了改善排水状况的作用。目前的地下水位多处比河水位要高,加之运河底面一直挖掘到 TP1.9m,因此不用再担心对地下水产生的挤压。

因此,对于运河截面来说,良好的排水性是应该优先考虑的问题。实验证明,干砌石法构筑的护岸是最理想的。(反之,应考虑到设止水板可能造成的不良后果)

设止水板的方案

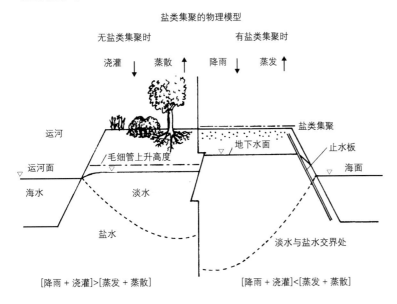

土壤截面勘察现场

为使排水状况得以改善,应设盲孔暗梁。
·暗梁可防止地下水位上升。
·防止地下水滞留。
·降雨可洗脱盐分。

据上图可知,没有必要设止水板。

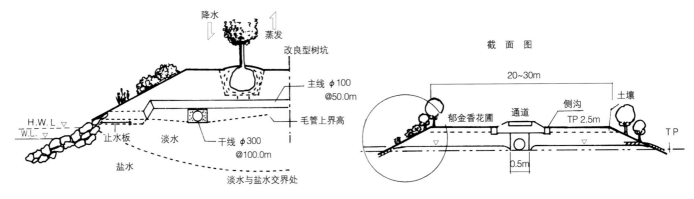

## 造园基本规划
### 绿化景观
### 绿化

荷兰在改善生态环境方面取得巨大成功，有许多值得我们学习的地方，这里绿化方案制定的理念亦源于荷兰对景观创造的美学观点。

与其他主题公园不同，荷兰城的绿化方案有自己独特的视角，即绿化不单纯是为了造景的需要，也是要为营建面向21世纪的森林做出努力。因此，设计者并不急功近利。也许至少要用10年时间，才能真正建成具有多样性的生物体系和水边绿地环绕的生态环境。

街区是以半永久性形态存在的，荷兰城想要做的是，让生活在这里的人们世世代代繁衍生息，与此同时，还要把前人营造碧水绿地生存环境的努力载入史册，以示后人。

荷兰城在建造收费主题公园的过程中，逐渐改变了主题公园不过是街区建设的一个过程的想法，绿化方案在实施后，就已具有改善环境的价值，是一份可供子孙受用的宝贵财富。

### 周边绿化带

周边绿化带是创造美的景观的手法之一，它分为规划区外圈的绿化带和内圈过渡绿化带。

规划区周边绿化截面图(左)和岸边现场照片(右)

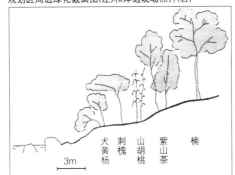

犬黄杨　刺槐　山胡桃　紫山茶　楠

3m

外圈绿化带

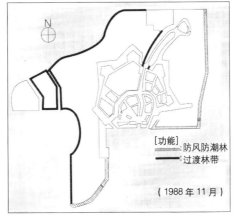

[功能] ——防风防潮林
　　　　 ——过渡林带

(1988年11月)

内圈过渡绿化带

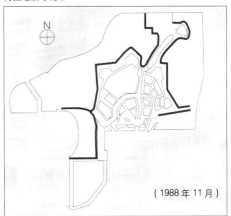

(1988年11月)

绿化注意事项 ——
- 绿化带外圈以常绿阔叶树林为主，与周边环境相融合
- 绿化带内圈混植落叶树，使其与荷兰城内景观接续
- 去掉从远处可以看到的消极景观要素；从外部不应该看到娱乐区内部景观
- 从防风、防潮汐和遮音效果等方面考虑，将绿化带的宽度设定为20m

### 外圈绿化带

● 功能：防风、防潮汐，从周围环境的过渡。

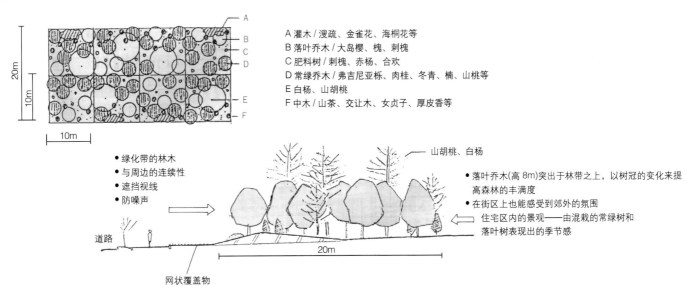

A 灌木 / 溲疏、金雀花、海桐花等
B 落叶乔木 / 大岛樱、槐、刺槐
C 肥料树 / 刺槐、赤杨、合欢
D 常绿乔木 / 弗吉尼亚栎、肉桂、冬青、楠、山桃等
E 白杨、山胡桃
F 中木 / 山茶、交让木、女贞子、厚皮香等

- 绿化带的林木
- 与周边的连续性
- 遮挡视线
- 防噪声

道路

网状覆盖物

山胡桃、白杨

- 落叶乔木(高8m)突出于林带之上，以树冠的变化来提高森林的丰满度
- 在街区上也能感受到郊外的氛围

住宅区内的景观——由混栽的常绿树和落叶树表现出的季节感

20m

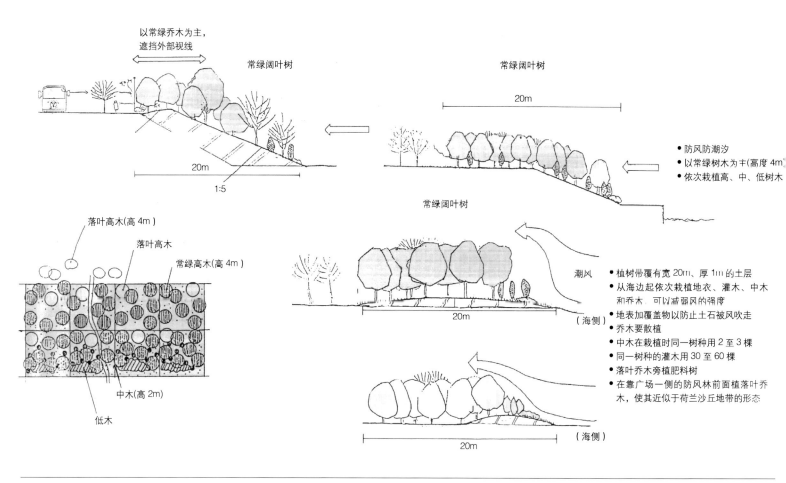

以常绿乔木为主,
遮挡外部视线

常绿阔叶树

常绿阔叶树

20m

20m

1:5

常绿阔叶树

落叶高木(高 4m )

落叶高木

常绿高木(高 4m )

中木(高 2m)

低木

潮风

• 防风防潮汐
• 以常绿树木为主(高度 4m)
• 依次栽植高、中、低树木

• 植树带覆有宽 20m、厚 1m 的土层
• 从海边起依次栽植地衣、灌木、中木和乔木,可以减弱风的强度
• 地表加覆盖物以防止土石被风吹走
• 乔木要散植
• 中木在栽植时同一树种用 2 至 3 棵
• 同一树种的灌木用 30 至 60 棵
• 落叶乔木旁植肥料树
• 在靠广场一侧的防风林前面植落叶乔木,使其近似于荷兰沙丘地带的形态

(海侧)

20m

(海侧)

20m

# 内圈绿化带

**●功能**

内圈绿化带主要起荷兰城与外围环境之间的过渡作用。此外,也起到外部视线遮蔽作用。
它是重要的景观,也是总体规划中的重点之一。

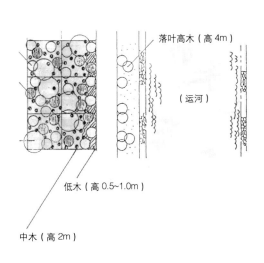

落叶高木 ( 高 4m )

(运河)

低木 ( 高 0.5~1.0m )

中木 ( 高 2m )

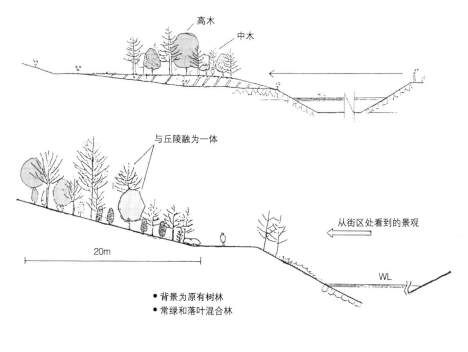

高木

中木

与丘陵融为一体

从街区处看到的景观

20m

WL

• 背景为原有树林
• 常绿和落叶混合林

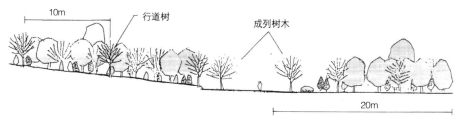

10m

行道树

成列树木

20m

## 造园施工设计

在规划区四边地带原来有几处显眼的电线、建筑和水泥厂，为了消除它们对整体景观的消极影响，决定植成一条外围绿化带将它们遮掩起来。

此外，由于规划区域面积很大，其绿化方案制定的着眼点不能只放在某一地段上，应充分注意大景观效果。规划中的过渡带不仅可以防止潮汐和台风给规划区内带来的灾害，而且也大大改善了眺望条件，使各个不同地段的景观形成一个整体，通过一个较长时间的发育，遵循生态学的发展规律，会逐渐演变成一个小生态系统的景观群。

过渡带设计的最小宽度为20m，覆盖了海滨与规划区周边大部分地段，并将规划区分成两层：一是包括开放园区在内的收费区，二是不动产建设用地和游艇停泊场。

从布鲁克伦园路上远眺，看到的树木是白杨

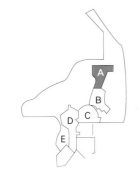

## 入口处

### 景观形象
- 奈安洛德城堡（从正面看）
- 停车场一侧的街心花园（植有几行树木）
- 通向入园大门的散步道边植有8棵高大的百合

### 设计概念
- 从停车场至入口处的景观具有引导游客的功能，街心花园正面横向配置，以突出奈安洛德城堡的立面。
- 运河两岸栽植的树木不要过于稠密，这样，透过稀疏的树木，从入口、出口和林荫道能清楚地看到花坛。
- 树木和绿化带的配置应使奈安洛德城堡、花坛和风车等主题景观变得更突出。

## 牧场区

### 景观形象
- 荷兰的田园风光

### 设计概念
- 白杨之类的树木要分散地植于离花坛稍远一些的地方，以免树影落在花坛上，要营造出田园牧歌式的景观效果。
- 花坛周围成行的树木，其树形自然素朴，相互留有充分的间隔。
- 位于荷兰商会西南侧的树木会将游人引向街区。

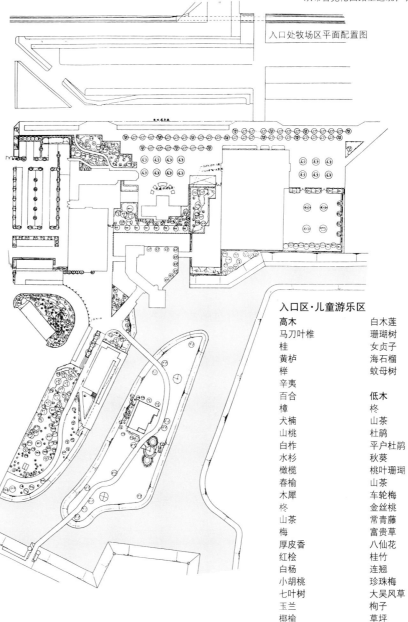

入口处牧场区平面配置图

### 入口区·儿童游乐区

| 高木 | 白木莲 |
|---|---|
| 马刀叶椎 | 珊瑚树 |
| 桂 | 女贞子 |
| 黄栌 | 海石榴 |
| 榉 | 蚊母树 |
| 辛夷 | |
| 百合 | 低木 |
| 樟 | 柊 |
| 犬楠 | 山茶 |
| 山桃 | 杜鹃 |
| 白柞 | 平户杜鹃 |
| 水杉 | 秋葵 |
| 橄榄 | 桃叶珊瑚 |
| 春榆 | 山茶 |
| 木犀 | 车轮梅 |
| 柊 | 金丝桃 |
| 山茶 | 常青藤 |
| 梅 | 富贵草 |
| 厚皮香 | 八仙花 |
| 红桧 | 桂竹 |
| 白杨 | 连翘 |
| 小胡桃 | 珍珠梅 |
| 七叶树 | 大吴风草 |
| 玉兰 | 枸子 |
| 椰榆 | 草坪 |

从尼斯泰兹园路上望风车和花圃

尼斯泰兹园路

岸边是布鲁克伦园路

休闲区平面图

## 休闲区

### 景观形象

● 有中央喷泉的广场

### 设计概念

● 景观树均有浓密的绿荫，与周围建筑物和谐。

● 因建筑配置是在欧洲以外的环境里，故与周边的景观形成强烈反差，不得不在广场外围栽植落叶乔木，以弱化这种反差。

● 中央喷泉采用艺术造型手法构筑。

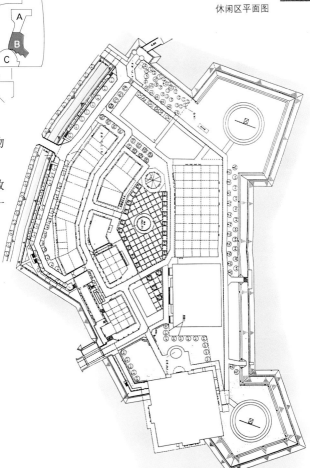

游乐区
**高木**
花木树
花木莲
全手叶椎
黄栌
铁冬青
肉桂
百合
白柞
粗构
樟
犬樟
**低木**
平户杜鹃
杜鹃
大花六道木
女贞
常青藤
草坪

## B区

### 景观形象

- 被建筑群包围的小广场

### 设计概念

- 广场上设有数量不多的系船柱，其数量和高矮以不有碍观瞻为限。
- 树木不影响运河景观。

## 旧街区

### 景观形象

- 活动广场

### 设计概念

- 广场上辟有宽敞的活动区域，树木作为行道树均植于广场周围。
- 树木对运河景观不构成障碍。
- 休憩区设长椅。

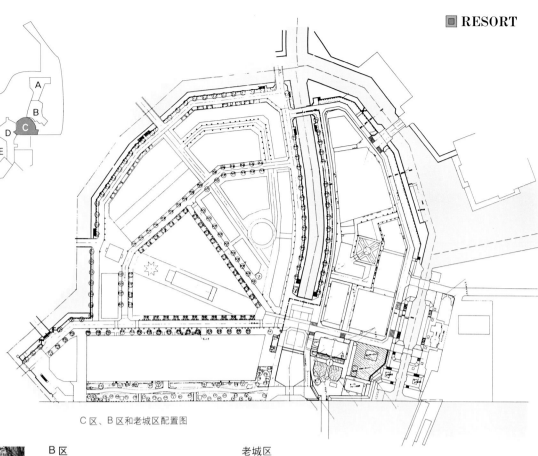

C区、B区和老城区配置图

老城建筑与街道

| B区 | | | 老城区 | | | |
|---|---|---|---|---|---|---|
| **高木** | 刺槐 | 海石榴 | **高木** | 虎皮楠 | 野茉莉 | **低木** |
| 黄栌 | 野茉莉 | 梅 | 黄栌 | 厚皮香 | 山樱 | 杜鹃 |
| 小胡桃 | 山樱 | **低木** | 椰榆 | 木犀 | 悬铃木 | 平户杜鹃 |
| 春榆 | 悬铃木 | 杜鹃 | 槐 | 小胡桃 | 白柞 | 常青藤 |
| 椰榆 | 虎皮楠 | 平户杜鹃 | 马刀叶椎 | 椰榆 | 梅 | 草坪 |
| 白木莲 | 白柞 | 浜楸 | 犬樟 | 春榆 | 山茶 | 珊瑚树 |
| 山桃 | 厚皮香 | 常青藤 | 橄榄 | 海石榴 | 白木莲 | |
| 槐 | 木犀 | | 山桃 | 刺槐 | | |

尼斯泰兹园路

老城，街道边的树木是椰榆

## 优特雷特区

### 景观形象

● 水边平台

### 设计概念

● 沿运河边植有椰榆作为行道树，并以朴素的风格装点着广场。

## 欧罗巴酒店区

### 景观形象

● 海牙森林

● 荷兰皇家行宫庭园

### 设计概忘

● 为烘托典雅高贵的格调，以冬青和紫薇作为景观树，再配植一些灌木。

● 在酒店周围散步道边植有百合，并以桂树装点酒店的背景。

## 港区·游艇码头

### 景观形象

● 热闹的港湾

### 设计概念

● 为了营造港湾处的热烈气氛，不将树木栽植在岸边，而是配置在中央街两侧作为行道树。

● 坦帕克酒店正门前广场上栽有两棵水杉，使其与福雷斯特威尔水面附近景观具有一定的连续性。海边街道以天然石块铺装，并配有砖砌花坛。

港区、游艇码头区、欧罗巴酒店和优特雷特广场分布图

港区游艇码头
高木
春榆
花木树
山桃
大山樱
山樱
椰榆
楠
山茶
低木
平户杜鹃
草坪

从坦帕克酒店望欧罗巴酒店

欧罗巴酒店区
高木
楠
百合
玉兰
榉
山桃
马刀叶椎
虎皮楠
桂树
黄栌
椰榆
犬樟
山樱
大山樱
七叶树
春榆
冬槭
雪松
海石榴
刺叶桂树

梅
山茶
红光叶石楠
低木
山茶
刺叶桂
红光叶石楠
杜鹃
平户杜鹃
车轮梅
圆叶车轮梅
桂竹
阔叶冬青
枸子
常青藤
草坪

优特雷特区
高木
马刀叶椎
山桃
椰榆
樟
刺槐
野茉莉
白木莲
橄榄
虎皮楠
大叶桳

白柞
犬樟
槐
美洲枫
七叶树
低木
车轮梅
杜鹃
平户杜鹃
刺叶桂
草坪

156

## 福雷斯特威拉区

### 景观形象

乔根霍夫森林

营造出近似于天然森林的生态环境

以乔根霍夫森林为原型，密植粗壮树木，再以草花点缀林地

### 设计概念

以水杉为景观树。

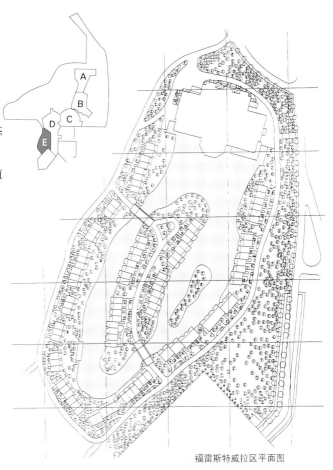

福雷斯特威拉区平面图

维拉森林区

| 高木 | 桂树 |
|---|---|
| 水杉 | 榉 |
| 红松 | 柳 |
| 樟 | 槐 |
| 犬樟 | 刺槐 |
| 马刀叶椎 | 野茉莉 |
| 山桃 | 四照花 |
| 白柞 | 刺叶桂 |
| 粗构 | 厚皮香 |
| 虎皮楠 | 大光叶石楠 |
| 橄榄 | 女贞子 |
| 玉兰 | **低木** |
| 多罗叶 | 杜鹃 |
| 铁冬青 | 椴木 |
| 石槠 | 车轮梅 |
| 弗吉尼亚栎 | 山茶 |
| 山樱 | 平户杜鹃 |
| 大山樱 | 四照花 |
| 春榆 | 菲律宾兰 |
| 黄栌 | 蝴蝶花 |
| 槭 | 花菖蒲 |
| 白木莲 | 石菖蒲 |
| 白云木 | 桂竹 |
| 小胡桃 | 阔叶冬青 |
| 大叶梣 | 常青藤 |
| 冬槭 | 刺叶桂 |
| 柞 | 女贞 |
| 小橡子 | 草坪 |
| 七叶树 | |

福雷斯特威拉区的水中小岛和岛上的水杉

福雷斯特威拉住宅区后院

以当地产的云母岩砌成的挡土墙，墙上的苔藓显露出沧桑感

## 外围规划

右表所列为荷兰城外围规划中相关项目选用的材料。

铺装用的主要材料是红砖，其次还有石板、沥青、彩色沥青和彩色石粉末等。

### ● 红砖的选择

1. 从维持城市生态环境平衡方面考虑，尽量让雨水渗入地下。

2. 路面不滑，并有弹性，踏在路面上很舒适，可消除疲劳。

3. 图案美观，近似于天然材料，即使破旧后其美感也丝毫不减，反而更有韵味。

4. 维修方便。

5. 国产和荷兰进口的混用。

国产红砖虽然便宜，但却不如荷兰进口的强度高，进口的多用于车道。

### ● 图案设计

设计时共提出 43 种图案供选用。

1. 以图案区分不同地段；

2. 起标识作用；

3. 赏心悦目。

## 从红砖铺装上看到的日本人和荷兰人

在日本和荷兰红砖尺寸的大小不同，这是由于日本人和荷兰人的手的大小不同的缘故。作业时，只能把红砖一块一块地铺上去，设计尺寸时就要考虑到红砖应该多大才会抓起来容易些。

从铺装施工方面看，日本人要细致缓慢些；荷兰人则大刀阔斧、雷厉风行。从整体上看，荷兰人干的活也并不差。

| 材料 | 建筑物周围 | 广场(含庭院) | 汽车站 | 人行道 | 环游路 | 道路(A) | 道路(B) |
|---|---|---|---|---|---|---|---|
| 红砖 | ○ | ○ | ○ | ○ | ○ | ○ | ○ |
| 石板 | ○ | ○ | ○ | ○ | | | |
| 沥青 | | | | | ○ | | ○ |
| 彩色沥青 | | | | | ○ | | ○ |
| 彩色石粉 | | | ○ | | ○ | | |

道路(A)　入口区
　　　　　街区
　　　　　酒店区
道路(B)　田园区
　　　　　别墅区
　　　　　福雷斯特公园区
　　　　　后街区
　　　　　海滨区

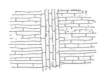

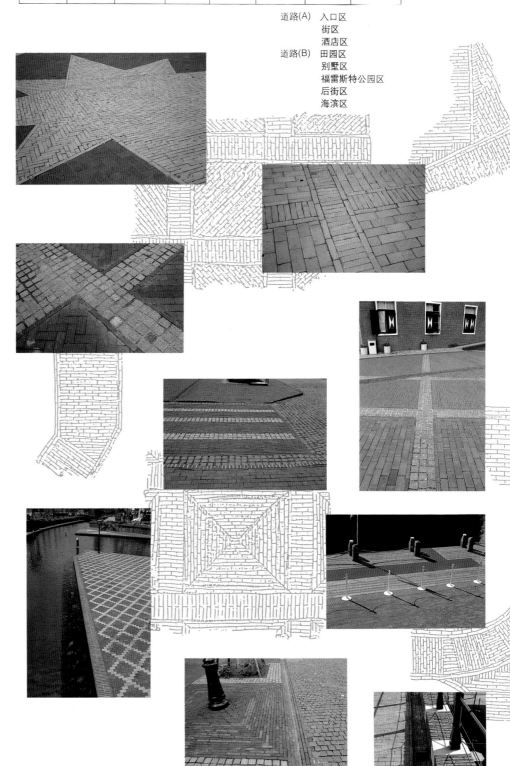

158

## 植物管理规划

### 基本对策

作为促进植物生长发育的基本对策，一般分做日常管理和特殊管理两个方面。

日常管理是最重要的，它以管理的时间和次数不能随意改变的植物为对象。

### 对应的方向

本园要求在管理方面以最少的经费取得最大的效果，设定了发挥植物功能的目标，而且把因地制宜地进行绿化作业当做重要的手段。

为此，必须要了解各种树木的生理和生态的反应特性，确定通过管理手段能实现一个什么样的目标。在管理对策实施前，先要熟练掌握其基本内容和各种手法。当因信息和资料不足，实施对策有困难时，可在日常管理中记录下植物的反应特性和对策的效果，以便对将来的目标加以修改。这对建立有效的对策体系也是有用的。

假如判断出现实对策无法发挥植物的功能时，应该考虑是否彻底改变植物栽种的位置。

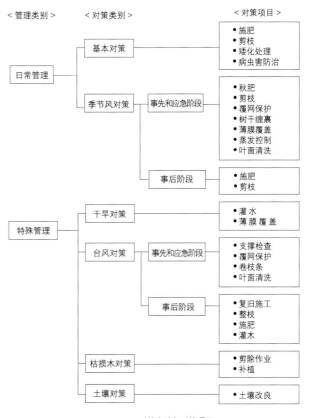

对策方法与对策项目

1)基本对策

作为增强植物生命力和抗灾害能力的对策，应该编制年度管理计划。对生长缓慢的低矮树木可暂不处理，但在将来引进新品种后，则试验取代之。

2)季风

在以欧洲和荷兰为题材的荷兰城中，引进的树种抗季风能力都很差。因此，在特定位置应加网保护。对弱树要采取堆肥护根的措施。

3)干旱

以浇水为主要对策。浇水时，优先考虑新植树和弱树，其次是重点景区的树木。

4)台风

假定台风袭击时间不可预料，台风到来时又能立刻奏效的手段。即以支柱加固树木和将特定树木的枝条卷起等。此外，还要避免水中含盐量过高造成的危害。为保持树木美观清洁，叶面还要经常清洗等。

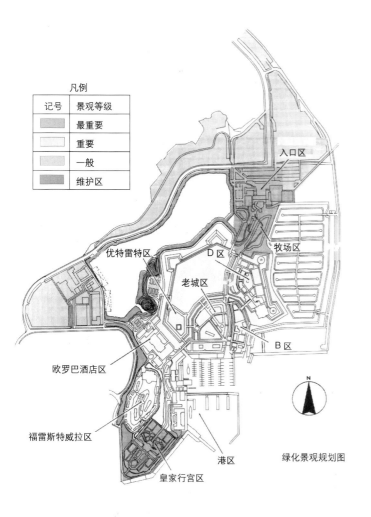

绿化景观规划图

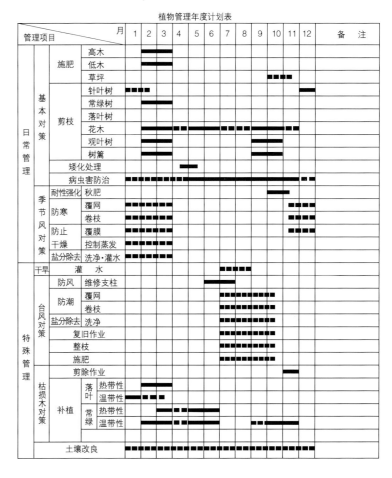

植物管理年度计划表

# 以回归自然为目标的正规高尔夫球场

## 以艺术手法创建的风景画似的景观

东急 700 俱乐部

这是一座位于千叶市郊外、被茂密的森林包围着的 36 洞高级高尔夫球场。在东京高速电铁规划的这个项目中，石胜所参与了景观规划、造园设计、草坪施工和造园施工等。目前还负责管理球场。

将艺术花园——英国风景式庭园——作为景观设计的理念，把回归自然作为目标，使构建的景观有如一幅优美的风景画。

出于保护环境的考虑，对原有树木均采用机械方法进行移植。

36 洞的球场分做东西两个球道，两边的景观各不相同，充分展现出多样化的特点。整体上看，既富于变化，又颇有层次感。

为与其他高尔夫球场相区别，作为一处正规的高尔夫球场，引入了 CI 计划，使设施配置和管理体制都实现了标准化。

为了塑造回归自然的形象，球场以翠鸟作为自己的标志，在对外宣传上与广告商充分合作。

东球道 5 号洞

道路两边的杉行道树也全是机械移植来的

**何谓"艺术花园"——**

　　18世纪由英国创造。花园展现的是犹如风景画似的自然风光。与此相对应的是法兰西式的庭园,它以精致的人造景观和结构上的对称美著称。

自然文化条件 | 地域条件 | 社会条件

地域趋向
首都圈 千叶县 — 广域 局部

随着开发而变化 | 产业结构和社会状况的变化

时代特征 地区形象

景观形象创造

风景画式花园 景观主体形象

设计的基本原则

景观构筑

在追求"艺术花园"式景观效果的同时,还要保证整体景观的和谐统一

| 设计理念 | | 风景画似的球场<br>•树木、流水和阳光的完美结合<br>•传统和文化的结合<br>•地域特色 |
| --- | --- | --- |
| 表现手法 | | 构筑多层次的景观<br>　1. 平面上的多样化<br>　　　东、西球道的差异<br>　2. 立体上的多样化<br>　　　近景、中景、远景的渐次展开 |
| 设计要点 | 平面多样性 | 东球道:呈封闭的带状,设计风格凝重<br>　　　　景观分散呈多样化<br>西球道:呈开放的起伏状,设计风格明快<br>　　　　景观重点突出,以山、水和光为主 |
| | 立体多样性 | 远景　恒定的象征性景观和背景轮廓线<br>中景　标志和大门处的景观<br>近景　植被和灌木等庭园中景观 |
| | 树木 | 远景要素 — 主要景观树　•落叶树　榉　•常绿树　楠<br>中景要素 — 一般景观树　•落叶树　朴、小橡子　•常绿树　白栎<br>近景要素　•花　木　樱、辛夷　•水边树　水杉、桂　•红叶树　枫<br>　　　　　　灌木　•花　木　杜鹃<br>近景要素 — 地被　•草　类　樱草、海兰草<br>主题树　•浓荫、厚皮、色彩富于变化的树<br>移植树　•主要是樱、榉、弗吉尼亚栎等 |
| 材　料 | | 尽量采用天然材料,将粗加工和精加工的混合使用 |

景观构筑要点

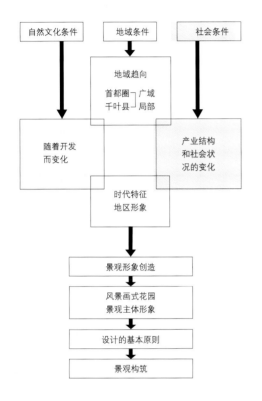

用意大利斑石砌成的墙壁

高尔夫俱乐部建筑的设计师弗鲁姆为了能让建筑物融入自然景观中去,参考了弗兰克·劳埃·赖特的设计方案,以矩形石块统一了建筑风格。庭园构筑和标志制作也采用了同样的手法。

名　　称　东急700俱乐部
地　　址　千叶县千叶市
开 发 商　东京高速电铁
景观规划　石胜所
球道设计　宫泽长平
造园施工　石胜所
球道管理　石胜所
规　　模　开发面积162hm²
竣　　工　平成元年(1989)

东西球道之间的桥

## 东球道

　　球道保持了原有地形，周围是密林，属于一种封闭式的、风格凝重的设计。球道内散布着水池和小溪，景观富于变化。

东球道 15 号洞

东球道 3 号洞

东球道 18 号洞边的柿树

东西球道景观重点比较

| | 东球道 | 西球道 |
|---|---|---|
| 整个球道 | 保留林木较多，并环绕在球道周围。因地形变化较大，故视线被压低，突出了脚下草坪的美感 | 保留树木较少，具有开放感。因地形较平坦，故视线偏上，视野显得很开阔 |
| 外侧的 9 个球洞 | 基本保留了原有地形和地面上的树木，成为一条林中球道，周围被树木环绕。大径树木较多，树冠造型优美。其中杉树和柯树厚重的浓荫与灌木稀疏的枝叶形成鲜明的对比。东北角原有一片竹林，因与整体景观显得格格不入，施工时被清理掉 | 地形比较平坦，中间的水池将球道大体分成两段。由杉林和杂木林构成景观的主体。周边林木基本保留下来，但因周边地带位于远处延伸过来的斜坡上，故给人以置身高地的感觉。这里较多地分布着杂木之类的落叶树，造园施工中的绿化密度较大 |
| 内侧的 9 个球洞 | 地形变化较大，周围被树木环绕，中央部成为盆地状，保留树木多为杂木林，球道设计复杂多变，流动的小溪构成迷人的景观。与外部球道相比，这里的杂木林虽然没有浓密的绿荫，但却能表现出四季的变化 | 通往球场的道路一般都比球道高 10m 左右，地形整体上是平坦的，比外部球道显得更规整一些，其开放性也更强。但水池和小溪比较集中，变成一种休闲型球道，放眼望去，风景如画。其中从 15 号洞至 18 号洞之间的水池是这里景观的重点，平静的池水和岸边树木的荫影，加强了空间的纵深感，水池上还有一个凉亭。球道边树木以常绿树为主，落叶树则作为背景树植于外围 |

从西球道 17 号洞望俱乐部建筑

## 西球道

球道地形比较平坦，但两侧却有一些隆起将山林分开。这是一条草原型球道，设计风格明快，给人以跃动感。以"山"和"水"作为素材，再加入"光"的形象，描绘出一幅优美的图画。

西球道 8 号洞

## 从小桥造型上体现出东西球道的不同特点

东球道小桥
突出曲线美，以扁横石料砌成，以阴影表现出质感

以云母岩扁横砌法建造侧墙部分

西球道小桥
突出直线的美感，选用白色花岗岩砌成，石块端头略小

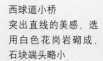

# 建立在长期规划基础上的景观管理

## 适应南北不同气候条件的景观管理

石胜所现在负责管理的高尔夫球场总计有 11 处，北起北海道，南至冲绳，遍布全日本。

高尔夫球场的管理应建立在长期规划的基础上，不仅要培育植物，还要维护球道中的景观，要将自己当做这里的主人。应该努力构筑和保持球场如画的风景，并能从四季更迭和树木生长中看到球场景观的变化。同时，还应尽量减少管理作业中发出的噪声，不给环境造成丝毫的负面影响。

石胜所的物业管理特点是站在造园的立场上确立长远规划的目标，并为实现这个目标不断努力。从北到南不同的气候条件和风土人情，要求在物业管理上也应该因地制宜。为此，定期召开的学习会和研讨会给这方面的信息交流和经验传播提供了机会。

环境问题较集中地反映出过去和现在的社会状态和生活水准。石胜所从环境保护方面着眼，在景观维护管理作业中尽量不使用农药或少使用农药。

今后，为建设美丽的家园和满足社会的需求，一定会出现更多的与自然风光融合在一起的高尔夫球场。

筑波东急高尔夫球场 18 号洞，左图为 1977 年刚建成时；右图为现在的景观

从胜浦东急高尔夫球场 11 号洞望别墅区

---

## 日常管理

高尔夫球场的日常管理范围包括球道草坪和俱乐部周围的树木花草等，其清扫和修剪计划如下：

- 草坪每日 1 次
- 水面每周 2 次
- 周边每周 2 至 3 次
- 斜坡 2 至 3 周一次

草坪除了要修剪外，还要做施肥、浇水（有的球场采用计算机控制自动喷灌方式）、除草和灭虫等日常维护工作。

其中的灭虫作业有时还要在夜间进行。

再宽泛一点讲，有关高尔夫球场的扩建和改造中的小工程，以及挖水池和栽树木之类的作业也包括在维护管理的范围之内。

如果是 18 洞球场，则管理人员如下：

- 管理员 1 名
- 辅助管理员 1 名
- 主任管理员 1~2 名
- 设备负责人 1 名
- 工人约 18 名

---

- ●北海道
- ·札幌东急高尔夫俱乐部
- ·二世子东急高尔夫俱乐部
- ·优胜杯高尔夫俱乐部
- ●关东地区
- ·筑波东急高尔夫俱乐部
- ·小见川东急高尔夫俱乐部
- ·胜浦东急高尔夫球场
- ·季美森林高尔夫俱乐部
- ·东急 700 俱乐部
- ●九州冲绳
- ·荷兰城乡间俱乐部
- ·杰克·尼古拉夫球场
- ·绿宝石海岸高尔夫球场
- ·冲绳阳光海岸度假区
- ·卡奴恰高尔夫球场

石胜所目前管理的高尔夫球场

## 不用农药或少用农药的管理

高尔夫球场使用农药的问题一直为人们所关注，日本千叶县政府曾为此颁布法令，规定于平成 2 年 (1990) 以后建成的高尔夫球场一律禁止使用农药。

遵照这项法令，在平成 4 年 (1992) 开放的小见川东急高尔夫俱乐部和平成 5 年 (1993) 开放的季美森林高尔夫俱乐部，石胜所完全采用无农药维护管理。此外，在筑波东急高尔夫俱乐部、胜浦东急高尔夫球场和东急 700 俱乐部等三处，早在法令颁布前即已低农药进行维护，其农药使用量仍在逐年递减。

采用低农药维护也是建立在大量科学数据基础上的，作为一项成功的技术，它能保证土壤中的营养满足植物生长发育的需要，又可预防病虫害的发生。事实上，大量使用农药还是人的主观因素造成的结果。开始仅仅出于防患于未然的目的来喷撒农药，后来则是为了让草坪看上去更美观，从而加大了喷撒农药的密度。目前在低农药管理中往往都把

采用无农药管理方式的小贝川东急高尔夫俱乐部

气温和雨量也作为参考数据，并因此可进一步减少农药使用量。

像日本这样高温潮湿的气候条件，要在过去的高尔夫球场中实施无农药管理应该说是不可能的。可是人们也在尽全力寻找可行的办法，如不使用除草剂，而是以机械频繁地修剪；或是采用人海战术，用手拔掉杂草；以捕网替代杀虫剂；以微生物

平衡土壤的 pH 值等等。

完全依靠人工，显然是不现实的，不仅成本高，而且也不符合日本的国情。今后，如何采用更科学、更合理的方法，减少农药对环境造成的污染，还大自然中的青山绿水以本来面目，是绿地管理从业人员都应为之奋斗的目标。

## 各种各样的草坪

日本的高尔夫球场草坪用草种类繁多，但大体上可分为日本草和西洋草两类。日本草可进一步分为原草和高丽草等。西洋草为明治维新以后从欧美引进，如草地草熟禾之类。

如果按生态分类，可分做适应温热气候的暖地型和适应寒冷气候的寒地型。日本草即属于暖地型草。

石胜所的管理范围，从北海道的寒地型草坪直到冲绳的暖地型草坪，无所

不包。

近来在球道设计上，应球场使用者的要求，大多采用球滚动速度较快的本德草草坪。在此之前，人们一直认为在南北气候差别很大的日本难以采用统一的草坪，但近年来随着技术的提高，在九州则也开始试用本德草来栽种草坪。今后，需要在草坪的管理上进一步推广无农药或少农药的方法，并逐步实施草坪的统一化。

左：直立的本德草
下：与百慕大草一样呈匍匐状态的佐依西亚草

# 高尔夫球场中呈现的大海、高山和都市景观

**各种形态景观构建中对环境的保护**

二世子东急度假地高尔夫球场　　荷兰城乡间俱乐部　　大宝冢高尔夫俱乐部

二世子东急度假地高尔夫球场
（东急不动产开发）

　　在北海道，这是一座开放感很强的休闲娱乐性球场。直至春天，周围的山头仍积满皑皑白雪，到了深秋又是满山红叶。站在任意一个球洞处都可以欣赏到这迷人的美景。周围的白桦树林是景观的主体，也是北方特有的景观。石胜所承接了这里的造园工程，现在仍负责球场绿地管理。图中为从2号球洞望二世子山。

荷兰城乡间俱乐部，杰克·尼克拉夫高尔夫球场
（由 KTC 开发）
　　从球场处可将大村湾和佐世保湾一览无余，紧靠着西海国立公园，那里有美丽的海岸线。保留下来的树木主要是楠之类的常绿树和山樱之类的落叶树。高尔夫球场巧妙地利用现有的地形来展开其中的景观。石胜所曾参与球场的设计咨询、造园设计和造园施工，目前受托管理球场绿地。
　　图中为从 18 号洞远眺看到的景观。

俱乐部的屋顶庭园

总体规划平面图

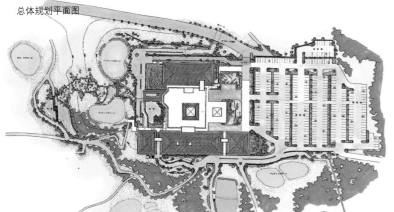

大宝家高尔夫俱乐部(大宝家高尔夫俱乐部开发)
　　球场位于大阪市西北，距市内 30 公里的兵库县宝家市，是一座交通方便的高尔夫球场。平成 4 年(1992)11 月，随着球场又增设了 9 个球洞，俱乐部的建筑设施也完工了，石胜所参加了造园设计，并担任施工监理。考虑到球场周围的环境及其所处的位置，在景观设计上力求表现出融入自然的城市氛围。

# 保护自然，并使自然复苏

## 为合理开发服务的环境评价机制

### 东京工科大学

　　在每次开发之前，石胜所都要对项目做出环境评价。其内容包括，对项目涉及到的自然环境、社会环境、居民意识和生活环境进行调查，研究项目与环境的融合程度及其给自然和社会环境造成的压力，找到让项目与环境高度融合的最佳方案。

　　东京工科大学的建设项目便是这样做的。在前期可行性调查阶段，依据"东京都环境影响条例"履行了环境影响评价手续。

　　评价工作是于昭和56年（1981）4月由学校法人日本电子工学院委托给石胜所的。石胜所利用2年时间进行调查分析，最后写出"东京工科大学建设项目环境影响评价书"，由委托方提交给东京都环境管理部，并被其受理。随后，相继经过居民公示和都议会审查，直至昭和59年（1984）6月，又再一次作为正式的环境影响评价书向都政府提交审议，并被批准。在完成其他报批手续后，项目正式开工。这次的评价对于石胜所来说也是头一次。过去虽然也要考虑设计和施工对自然环境的影响，但从未将与公害有关的评价作为一项业务。

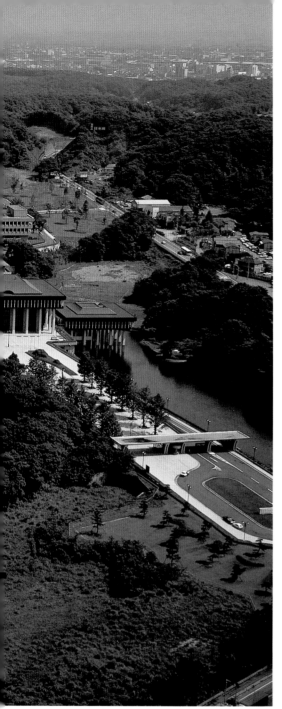

东京工科大学全景

环境评价作业内容及其流程

1.预备调查
• 从资料中了解现状·现场事先勘察·替代方案的提出

2.调查实施阶段
• 对照相关法令法规·编制作业计划·提出预算
• 选定调查组成员

3.现状调查、预测和评价
• 现状调查（植物形态、植物种群、鸟类、哺乳类、昆虫类、水生生物、大气质量、水质等）
• 根据项目规划做出预测·根据地域状况做出评价

4.提出保护对策
• 高水平地保护自然·提出绿化方案
• 如何防止因施工造成的公害·提出替代方案

5.环境影响评价
• 编写环境影响评价书
（依据"东京都环境影响评价条例"履行相关手续）

6.居民公示
• 说明会·听证会
• 书面回答公众提出的问题，并提出应对办法

7.事后调查

● 环境影响评价实施顺序

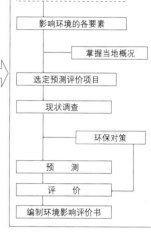

项目规划
影响环境的各要素
掌握当地概况
选定预测评价项目
现状调查
环保对策
预 测
评 价
编制环境影响评价书

环境影响评价小组构成

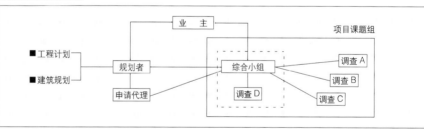

业 主

项目课题组

■工程计划
■建筑规划
规划者
申请代理
综合小组
调查 D
调查 A
调查 B
调查 C

## 环境评价业务程序

　　主要分为①项目规划、②现状调查、③预测评价等三个部分。这三部分的内容具有关联性，通过项目规划与现状调查结果的相互对照，才能预测项目可能对环境造成的影响，最终做出肯定或否定的评价。

　　下面，我们参照上图来介绍环境评价业务的程序。首先是项目规划，由学校法人日本电子工学院确定项目的基本构想，然后交由久米建筑设计所和熊谷建设分别制定初步规划。此时制定的初步规划即成为进行环境影响评价的项目内容蓝本。

　　接着，由石胜所根据这个初步规划

的内容开始环境评价工作。作为第一步，先进行预备调查。预备调查的目的，是为了掌握规划地块周围的社会自然状况，经归纳整理后写入预备调查报告书中。在预备调查报告书中，通过规划方案与周边地区状况的相互对照，找出可能会受到影响的环境要素（如大气、水质和动植物等），再依据这个结果进入主调查阶段。

　　作为影响环境的几个问题，可将施工中的振动排除掉，因为这是无法避免的，也是暂时的，只能减少推土机之类施工机械的作业台数和作业时间。对电波的影响以共用天线系统来解决。在景观方面，建筑外观涂成茶色，以使其与周围景

观保持和谐。通过将建筑物楼脚周围以树木覆盖的方法，可减轻其立面的压迫感。在自然环境方面，由于我们已经有过八王子新区自然环境调查的经历，在这方面可说是驾轻就熟。

　　环境评价的技术分析是很重要的，但更重要的是建立一个有各方面专业人员参加的小组。各专业都实行目标责任制，指定负责人，以分别处理来自方方面面的建议、意见和指令。只有如此，环境影响评价工作才能顺利展开。

　　昭和 63 年（1988）12 月项目开工，至平成 4 年（1992）4 月项目竣工。建成后的东京工科大学成为一处著名的景观。

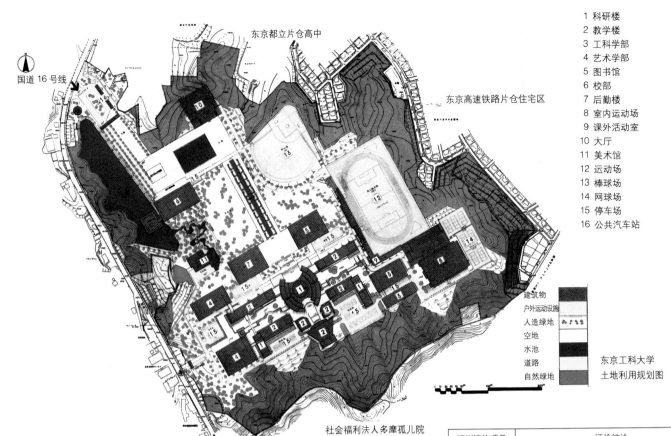

1 科研楼
2 教学楼
3 工科学部
4 艺术学部
5 图书馆
6 校部
7 后勤楼
8 室内运动场
9 课外活动室
10 大厅
11 美术馆
12 运动场
13 棒球场
14 网球场
15 停车场
16 公共汽车站

东京工科大学
土地利用规划图

建筑物
户外运动设施
人造绿地
空地
水池
道路
自然绿地

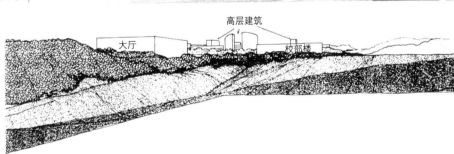

高层建筑

大厅

校部楼

环境评价景观变化预测示意图

| 预测评价项目 | 评价结论 |
|---|---|
| 1.大气污染 | 锅炉运行中产生的二氧化氮气体排放浓度比现在要低，影响很小 |
| 2.水质污染 | 学校下水污染程度较低，不必担心会使丘卫川的水质恶化 |
| 3.噪声 | 施工时的噪声会低于东京都防止公害条例中的规定值，影响很小 |
| 4.振动 | 施工时的振动同样低于东京都防止公害条例中的规定值，影响很小 |
| 5.电波干扰 | 由于高层建筑的影响，会产生屏蔽或反射现象，决定以共用天线解决这一问题 |
| 6.陆上植物 | 珍稀植物及其绿色保有量会减少，决定将现有树木移植或引进树种培育后加以补充 |
| 7.陆上动物 | 动物亦会因植物的减少而减少，但由于采取了上面的对策，对动物的影响也会降到最低程度 |
| 8.水生生物 | 由于挖掘水池并在池边栽种树木，对水生生物的影响将是积极的 |
| 9.地形、地质 | 施工后地形会有变化，但牢固稳定的地面结构对地下水的影响是很小的 |
| 10.景观 | 项目建成后对周围地质景观的影响不可避免，但由于人造绿地和水池的配置，以及建筑本身的造形和色彩与周围景观十分和谐，将会对整体景观效果产生积极作用 |

名　　称　东京工科大学
地　　址　东京都八王子市
开 发 商　日本电子工学院
发 包 者　日本电子工学院
环境评价　石胜所
造园设计　石胜所
造园施工　石胜所
规　　模　37.5hm²
竣　　工　昭和 62 年（1987）

环境影响评价结论如右表

初步方案

第二方案

第三方案

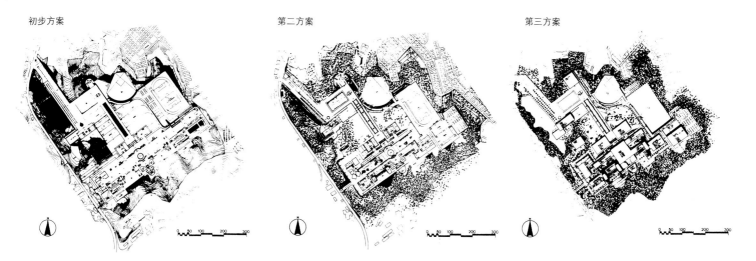

## 替补方案的产生

替补方案是从初步方案演变成的第二方案。考虑到项目对东北侧住宅区的影响，决定保留一条过渡绿化带，成为项目与住宅区之间的绿色屏障。进而从自然环境上着眼，将南面斜坡上的林地宽度增至100m，使项目的占地全部被绿地环绕着。

随后提出的第三方案，是根据对自然环境的详细调查，在第二方案的基础上又做了一些技术上的调整后形成的。

在实施方案中，为了解决电波干扰问题并使建筑造型更美观，将两栋49.4m高的高层建筑集中在中央，其弧面向外保留绿地为34800m²，比初步方案有所增加，为全部占地的35.5%。

凡例： ━ 电波方向　▨ 规划区
　×× 屏蔽范围　▨ 电波反射区
　▢ 信号接收区　Ⓐ Ⓑ 共用天线

实施方案中的电波干扰预测图

东京工科大学项目规划地区　现有绿地分布图

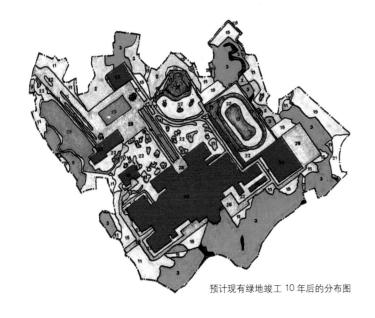

预计现有绿地竣工10年后的分布图

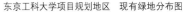

# 开发与保护并重

## 城市的绿色基本建设

八王子第一人寿保险城山手住宅区　八王子新区

### 关于自然环境和文化遗产的调查

#### 八王子第一人寿保险城山手住宅区

住宅区开发面积 30hm²，均为商品住宅，用以解决东京圈内住宅供应不足的问题。其中单体住宅 538 栋，公寓楼可入住 149 户，加上其他可容 13 户居民入住的房屋，形成总计容纳 700 户居民的住宅区。

规划区域的公园面积 37100m²，其中自然公园（毗邻住宅区）2 处，儿童公园 4 处，运动广场 1 处。在全部 44450m² 的绿地面积中，原有绿地约 38000m²，新培育绿地约 6450m²。

早在项目规划初期，石胜所即开始对该项目做环境影响评价，并以此为基础进行了实施设计和造园施工，其中包括公园、专用人行道和绿地。

在环境评价中，提出的主要问题是如何将项目设计和施工与环境保护统一起来，使开发与保护并重。其中的要点是：

①城山一带的树林和山慈姑生长地的保护问题；

②选择珍贵树种，并在绿化作业初期育苗和移植的问题；

③北部公园遗址及其遗址中树木的保护问题。

除此之外，还要逐一解决施工中产生的噪声和振动、大气和水质的污染，以及竣工后生态环境和地质特性改变等问题。只有这样，才能创造出绿荫浓郁的住宅环境，提供让业主满意的商品住宅。

### 规划区内的绿化

规划区处于丘陵地带，从气候条件来说，这里适合阔叶树的生长，保留下来的树木中有一簇簇的山茶。在规划中，将白桦也列为栽培的主要树种。从现在的情况来看，在规划区及其周围地带已很难见到成片的自然植物。覆盖全部地块的，几乎全是以栗树和山橡子为主的二次林，其中还有杉和榉，低洼处多为湿地植物。

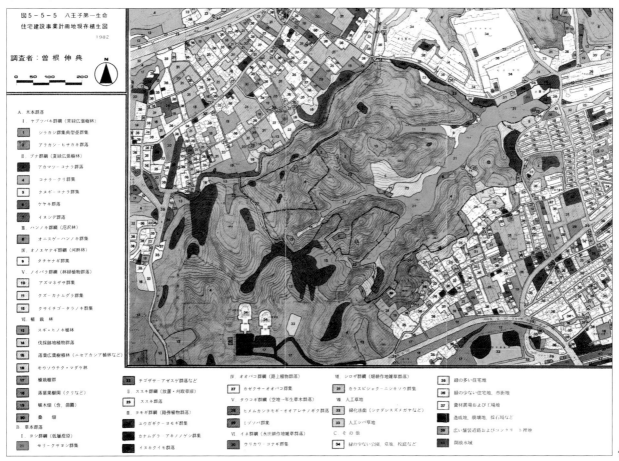

住宅用地内现有树木分布图

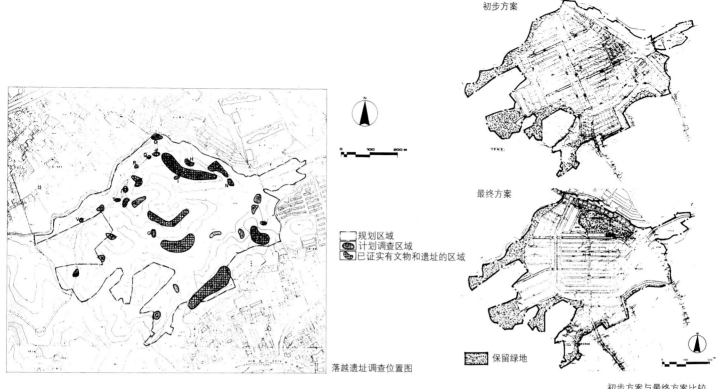

初步方案

最终方案

规划区域
计划调查区域
已证实有文物和遗址的区域

落越遗址调查位置图

保留绿地

初步方案与最终方案比较

## 关于古迹和文化遗产的调查

考虑到基础施工可能对地下文物造成损坏，施工前先对占地内的地下文物埋藏状况做了调查。调查后证实，这里确有弥生时代的文物。另外，在北面山脚处还有16世纪北条家的宅基地遗址。在规划中，决定保留北条家遗址，纳入公园区设计方案中。

由于北面山脚处的地形不会受到施工的影响，故可原样保留下来。但对其他可能受到影响的地段，则必须依据文物保护法经过施工前的发掘调查和记录存档等程序。

在关于古迹和文化遗产的调查中，未经允许不能破坏原有的自然树林。据此，石胜所提出了"小区划调查法"的建议，被东京都有关行政部门采纳。

## 绿色保有量

根据植物栽种的计划数量可以推测出各阶段绿化形态，再以此编制出相应图表。如"土地整理结束时状态"、"住宅区建成时状态"和"住宅区建成10年后状态"。

施工前，占绿地面积82.2%的木本植物，经过占地内的土地整理后，会减少到20%。然而，随着其后树木的大量栽种以及自然林的复苏，这一数值将会不断增大，预计竣工10年后增加到23.9%，再加上2%的草本植物，总的比重会提高到26.1%。此外，这一数值尚未计入各家各户自己培植的树篱和乔木。尽管面积都不大，但如果都加进去的话，其绿化面积约可占全部地块的30%。

## 八王子环境影响评价

石胜所在完成了对东京工科大学工程项目的环境影响评价之后，又接受委托开展新的业务活动。其中涉及到的内容主要是八王子第一人寿保险住宅区和八王子新区的环境评价，以及这两个项目中的绿地设计和施工。在环境评价方面，以石胜所为主要责任者，协作者还有新都市建筑设计所、创造社和山行咨询公司。

由于施工现场位于较好的自然环境中，因此，就土地利用规划方面的问题，我们提出了改变原有绿地分布的建议，并且还同当地的"自然之友会"一起探讨了如何能使开发与保护并重的问题。

通过调查，使石胜所提出的旨在复苏绿地的自然公园方案得以实施，进入设计施工阶段。与此同时，石胜所建立的技术体系也获得很高评价。

通过对自然环境及文化遗产的调查，搞清了哪些区域是应列入保护范围的，再将应恢复的公园和绿地以绿道相连，使其形成网络，与保留绿地带状连接。

在南面的湿地处也构建一处公园，使应保护的地下水也被利用起来，形成一个适于昆虫类栖息的生态环境。

昭和56年（1981）5月～昭和57年（1982）6月
环境评价中的前期调查
昭和58年（1983）1月～昭和59年（1984）9月
编写环境影响评价书
昭和59年（1984）1月～昭和62年（1987）10月
环境影响评价书递交有关部门审批
昭和62年（1987）7月～昭和62年（1987）10月
后期调查
昭和63年（1988）～平成2年（1990）5月
后期调查报告的审议
平成2年（1990）2月～平成3年（1991）5月
后期调查报告二稿审议通过

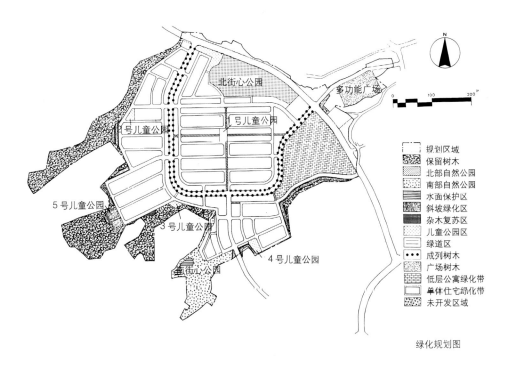

绿化规划图

图例：
- 规划区域
- 保留树木
- 北部自然公园
- 南部自然公园
- 水面保护区
- 斜坡绿化区
- 杂木复苏区
- 儿童公园区
- 绿道区
- 成列树木
- 广场树木
- 低层公寓绿化带
- 单体住宅绿化带
- 未开发区域

地图标注：
- 北街心公园
- 多功能广场
- 号儿童公园
- 号儿童公园
- 5号儿童公园
- 3号儿童公园
- 号街心公园
- 4号儿童公园

出羽山公园

城山手中公园

出羽山公园

名　　称　八王子第一人寿保险城山手住宅区
地　　址　东京都八王子市
开 发 商　第一人寿保险
发 包 者　清水建设
环境评价　石胜所
造园设计　石胜所
造园施工　石胜所
规　　模　29.9hm²
竣　　工　平成5年(1993)

陵东公园

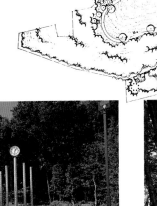

出羽山公园（右二图同）

174

### 在制定的公园规划中体现出自然特点

# 八王子新区

八王子新区及其周围是一片自然环境很好的丘陵地区，是一块十分理想的住宅区开发用地。开发伊始，经过周密细致的调查，决定对残留绿地加以保护，并将整理过的土地全部绿化。

## 自然环境的保护

①在规划区的低地部分，生长着许多珍稀植物，甚至可以找到适应湿润环境的动物。为此，特意在规划区域南面配植了与上述环境相当的绿地，作为珍稀植物的移植地。在低地周围，则采取必要的防水护岸措施来保护这里的湿地生态环境。

②考虑到从周边地区眺望规划区域的景观效果，在南侧保留山脚的轮廓线，并尽量减少从这里至中心区的景观变化，以使这条轮廓线显得更突出。在规划区域西侧配置绿道和公园，并实施大密度的绿化工程，使从灵园到这里的景观变化程度被降低。

③施工前地块的大部分生长着栗和小橡子之类的阔叶树，在夏季里会有浓浓的绿荫；但在土地整理时，其中的大部分将不复存在。因此，必须考虑将这些树挖出后再重新移植于整理过的土地上。对那些珍稀树种来说，应该在土地整理前实地调查，逐棵记下生长现状，并保证在移植时百分之百的成活。

## 八王子新区公园规划

八王子新区是以"自然"、"日本风格"、"理想"和"健康"这些语汇作为基本概念来进行规划的。在总体布局上，以公园、广场和设施用地为框架，再以绿道和专用人行道使其相互连接成网络。从开发的住宅形态上看，引入大型住宅区的理念，以建设高级住宅区为目的。在这样的住宅区中，留有宽敞舒适的公共空间和优美的、近似于大自然的环境。

规划中的公园要具有以下特点：

①与总体规划相对应，每座公园都应表现出所在街区的特点，并且是住宅区平面网络中的核心。

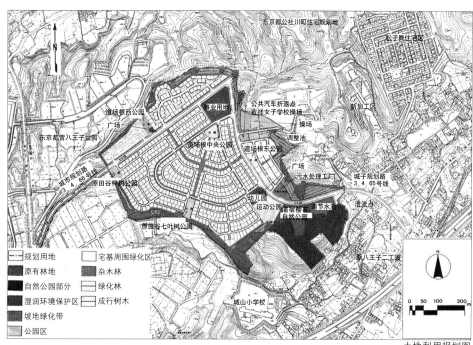

土地利用规划图

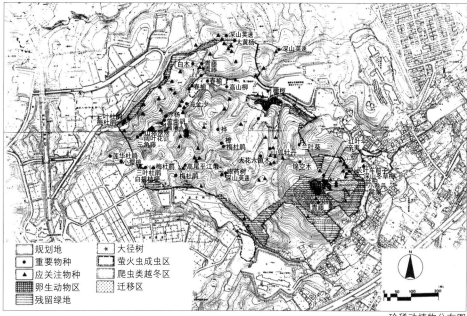

珍稀动植物分布图

②公园能融入总体规划和各区域景观中，但又具有标志意义。

③公园位置及内部设施应满足居民进行健身运动的需要。

④公园应是所在街区整体形象的集中体现，但各个公园又都有统一的格调。

⑤贴近自然，一年四季展现出不同的形态。

## [各公园概况]

### ●原田谷榉树公园（1211.3m²）

位于住宅区两侧道路入口处，是城市

规划路边的过渡绿化带与外围绿道的交点。

根据以上特点，便将过渡绿化带作为设计概念，以堆积的天然石块作为公园的起点，以庭园化表现出所在住宅区的形象，用小广场上的亭子将庭园概念具像化。此外，还设有康乐器具和休憩角。整个公园是一种两段式结构。

无论是从景观效果上，还是从健身娱乐方面来看，这都是一座规划得不错的公园。

### ●道场根中央公园（1927.4m²）

公园是南北走向的绿道的起点，并与建筑用地毗邻。从位置上说，应该是住宅区

原田谷七叶树公园

原田谷七叶树公园

原田谷榉树公园

原田谷榉树公园

的核心设施。因此,它具有鲜明的都市特点和很强的象征意义。

中央立着雕塑的圆形广场上,还配置了蔓亭,蔓亭为绿荫环抱,绿荫下的平台可供人们休憩。在晴朗的日子里或节假日,这里经常会举行聚会或活动。

● 原田谷七叶树公园(2103.1m²)

位于道场根中央公园对面,夹在两条南北伸展的绿道之间。同道场根中央公园一样,也有一个具象征意义的广场,另在入口处还有一处广场,都是用于健身和娱乐的。

● 道场根东公园(1297.4m²)

为大型住宅区的一部分,并是该住宅区的核心。但看上去高级住宅的景观特点并不突出,更具有庭园特征。

公园内摆放着天然石块,设置亭子和铺木板的平台,到处是杂木林。

● 道场根西公园(1932.3m²)

公园位于公共住宅区和街区房屋之间,两边有城市规划路边的过渡绿化带和边缘绿地。公园的一部分被用做集会场所。

公园内设有健身广场和游戏广场各一处。被集会场所挤成狭长的一条空间,成为掩映在绿荫中的散步道,也起着导向作用,将人们引向公园中去。

● 浦宿樱花公园 自然公园(7964.2m²)
运动公园(6709.8m²)

公园与住宅区南面的大片保留绿地相接。

运动公园以青少年为对象,主要用于开展棒球运动。公园内的草坪广场也可用于进行其他体育活动。另有一处休憩

角,位于浓密的绿荫之下。西面的斜坡上有一个赏花广场,生满染井吉野樱。

自然公园主要用于散步。里面有保留下来的杂木林和湿地植物,其间分布着水池和溪流。

昭和56年(1981)5月~昭和57年(1982)
6月前期调查
昭和57年(1982)5月~昭和59年(1984)
9月编写环境影响评价书,递交审议

昭和59年(1984)1月~昭和62年(1987)
10月环境影响评价书审议通过
昭和62年(1987)7月~昭和62年(1987)
12月后期调查
平成2年(1990)4月~平成3年(1991)
5月后期调查报告审议通过

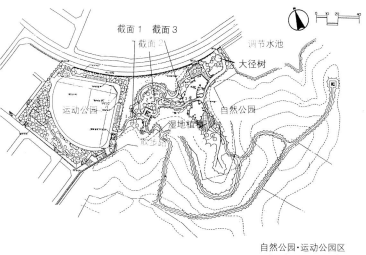

截面1 截面3

截面2

调节水池

大径树

运动公园

自然公园

湿地植

自然公园·运动公园区

浦宿樱花公园（下二图同）

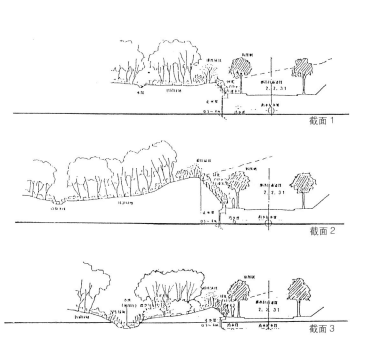

截面1

截面2

截面3

名　　称　八王子新区
地　　址　东京都八王子市
开 发 商　住宅开发
发 包 者　住宅开发
环境评价　石胜所
造园设计　石胜所
造园施工　石胜所
规　　模　开发面积 34.8hm²
竣　　工　平成 5 年（1993）

# 绿地中的历史遗迹

## 埋在地下 400 年的战国山城重见天日

国家级文物保护地山中城遗址

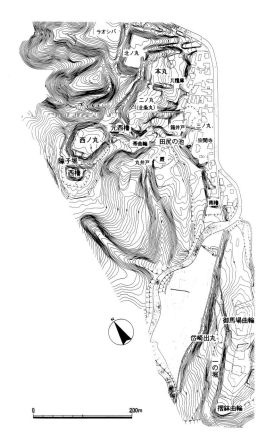

为将山中城遗址公园化，从昭和 48 年（1973）起开始对城郭进行全面发掘，并依据学术资料对环境进行整修。山中城是由后北条氏修建的小田原城的卫城。1590 年，丰臣秀吉率军仅用一天即将其攻陷，其后的 400 年间，一直被深埋地下。遗址发掘时，这里杂草丛生，城郭痕迹难以寻觅。

石胜所后来承接了山中城遗址环境的整修工程，并参与了遗址复原和公园构建等项工作。

为了以泥土构筑山城，要确定在山坡上什么位置留台阶，什么位置不留台阶，山城的构筑还要考虑历史上的实际情况，以适当的结构防御敌人的进攻。这座没用一块石头筑起的山城，最后以其雄伟挺拔的姿态展现在世人面前，成为学术研究方面的宝贵实物资料。尤其是采用在城墙和箭垛上铺草坪的方式来保护复原的遗迹，不仅创意奇特，而且又与周围的自然环境相融合。出于保护文化遗产的考虑，工程实施的初期主要依靠人力进行搬运材料。复原后的山城占地面积约 20 万 m²，这里还配置了供当时军队和马匹饮水的汲井，让游人沉浸在浓郁的历史氛围中。

名　称　国家级文物保护地山中城遗址
地　址　静冈县三岛市
发包者　三岛市
监　理　文化厅、三岛市教育委员会
施　工　石胜所
规　模　占地面积 20hm²
竣　工　平成 4 年（1992）

从城上望骏马河

从西面看到的山坡处花木

复原的饮用水池，用来贮存雨水

牲畜饮水池

▼原城楼下面的护城河

◀西城楼贮水池

▶▼御马场遗址

▶城郭遗迹

▶贮水池

◀▲望台

▼贮水池

# 馆山市的地中海景观

## 南房总地区的景观设计和石材的运用

### 馆山的景观路

正在建设中的东京湾横断公路与木更津市相接，使面向未来的关东环形干线近于完成。这家日本国内的重点工程全部竣工后，将会大大缩短从东京圈内去往关东各地所需的时间，同样也给南房总带来极好的发展机会。

馆山景观路位于环绕房总半岛的公路网127号线的终点处，是一条与公路相连的专用人行道，另外还包括一条有隔音墙的散步道。石胜所承接了这两条道路的景观规划和设计施工部分。

南房总地区原有一些分散的运动和娱乐设施，景观路的建设会将这些设施相互连接成一个整体，并对这些设施进行功能补充。同时，景观路对于以娱乐之都自诩的馆山市来说也是锦上添花。景观路以地中海风景为自己的设计概念，并对未来南房总地区的景观建设起示范作用。这是一个积极的规划项目，也会促进国家和地方对环境景观构建的关注，推动地方各项事业的发展。

### 构建人行道景观的目的

首先，为了改善附近的北条小学校的学习环境，沿人行道建起长达300m的隔音墙，防止噪声传入校园内。围绕道路景观建设，从构想到选定方案共分三步走，并划分成"海"、"街"、"山"3个区段。对这3个区段分别采用不同的景观构建手法，然后又从整体上整修街区，使其臻于完善。

右页左上图即为人行道景观规划的3个阶段示意图。

以地中海风光为原型设计的馆山景观路入口处

娱乐之都馆山市的效果渲染图

182

景观路规划步骤

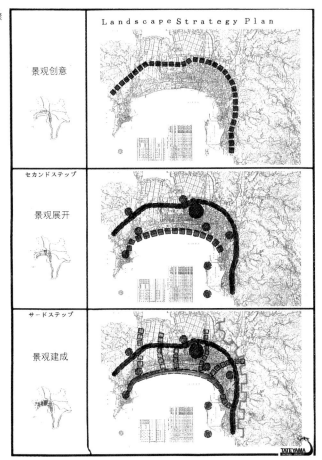

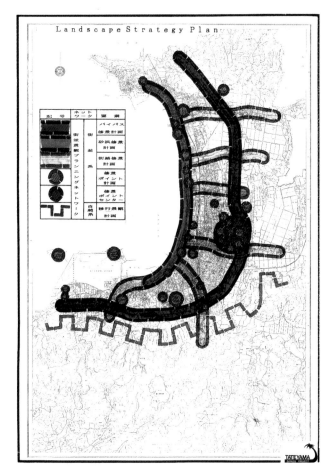

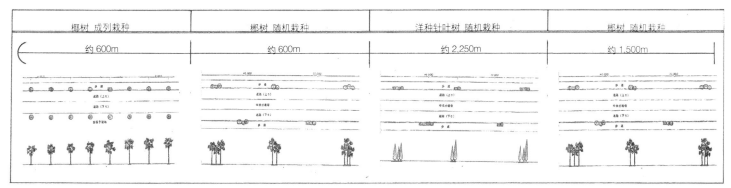

景观路行道树栽种方案

## 规划区域内栽种行道树

栽种的行道树要有季节感，并与城市氛围和道路特点相称。

穿过隧道，路边是成列的椰树，向远处延伸了600多米，再往前其间隔就不再固定，栽种的位置有一定的随意性。接着是洋种的针叶树，向前延伸2250m。其终点建有长300m的西班牙风格的墙壁，其作用是为小学校遮挡道路上的噪声。

300m长的西班牙风格墙壁是景观路的终点处

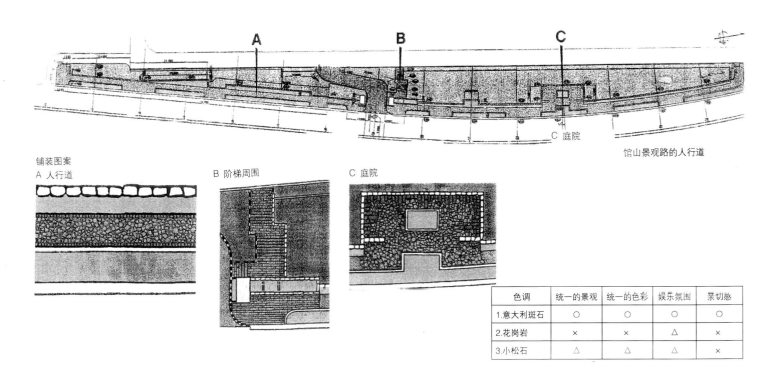

馆山景观路的人行道

铺装图案

A 人行道　　　　　　　　B 阶梯周围　　　　　　　　C 庭院

C 庭院

| 色调 | 统一的景观 | 统一的色彩 | 娱乐氛围 | 亲切感 |
|---|---|---|---|---|
| 1.意大利斑石 | ○ | ○ | ○ | ○ |
| 2.花岗岩 | × | × | △ | × |
| 3.小松石 | △ | △ | △ | × |

天　然　材　料　　　　　　　天　然　材　料　　　　　　　人　造　材　料

花岗岩　　　　沙岩　　　　　安山岩　　　　意大利斑石　　　　红砖　　　　混凝土板

## 景观路设计要点

景观路在设计上要注意以下要点:

防音墙与道路风格统一(地中海风格),使用相同的建筑材料。

防音墙以意大利产斑石砌成,近于茶色的紫色为基调,整体色调发暗。

人行道的色彩和纹理统一,并与防音墙格调一致。

人行道由①入口处、②庭院、③南端小广场、④北端入口、⑤普通人行道共5部分组成。

## 材料的选择

路面铺装要选择那种可烘托出娱乐空间气氛的天然材料,色调与防音墙相同,表面质感和纹理也要与防音墙相近。这样,才能与防音墙相融合。

以斑石砌成的防音墙显得古朴而又凝重,其表面是介于紫色和褐色之间的3种暖色调。道路的色调处理与防音墙保持一致。许多年过去了,事实证明,当初选择耐磨性较高的意大利斑石作为这里的建筑用材料是正确的。

## 人行道设计程序

### 入口处的设计

入口处以防音墙为中心，由人行道、阶梯和车道构成。

人行道的设计要重视石材的重量和质感；车道为防滑以小面积石板铺装。整体图案要有这一区段的特点。

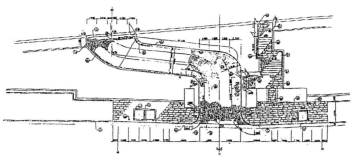

### 庭院周围的铺装设计

防音墙是一条长线形的防音设施，同样也被作为景观利用，里面被围着的空间成为一座庭院，地面铺装成井字形的图案。

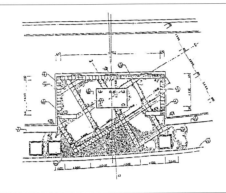

### 南端小广场周围的铺装设计

这里由4m宽的车道和3m宽的人行道构成。7m宽的小广场中央植有椰树，从这里可直接进入环形公路。广场地面铺装图案为方块形，人行道为扇形。

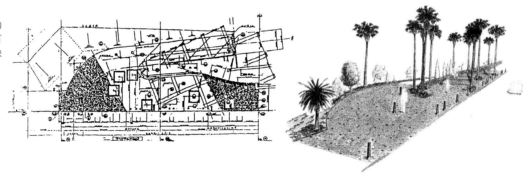

### 北端入口处周围的铺装设计

北端入口是为方便从千叶市方向来的游客而设立的。其防音墙和地面均采用方块图案。

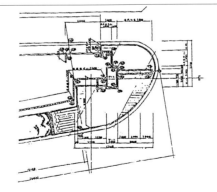

### 北端防音墙的设计

从景观配置上考虑，要突出北端防音墙的存在。防音墙设有拱形门，可方便行人通过。

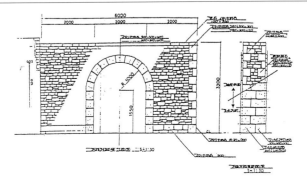
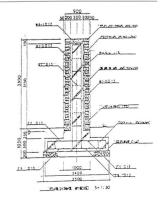

## 防音墙与人行道的绿化图

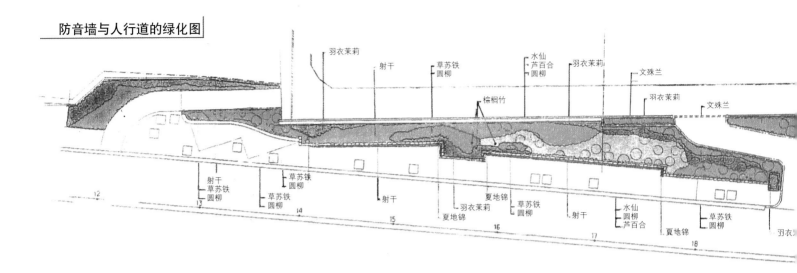

羽衣茉莉　射干　草苏铁 圆柳　水仙 芦百合 圆柳　羽衣茉莉　文殊兰　羽衣茉莉　文殊兰　棕榈竹

射干 草苏铁 圆柳　草苏铁 圆柳　射干　夏地锦　羽衣茉莉　夏地锦　草苏铁 圆柳　射干　水仙 圆柳 芦百合　夏地锦　草苏铁 圆柳　羽衣茉莉

12　13　14　15　16　17　18

## 防音墙与人行道的绿化

　　绿化分乔木和地被两部分。乔木的树冠都集中在树干顶部，还不要太大，使空间显得更开阔。

　　主要的景观树是椰类树木，其次是楠树和山桃。楠树和山桃比较均衡地配植在椰树之间。

　　地被选择的是那些可一年四季开花的植物，使入口处和庭院显得更有生气、更有亲切感。防音墙墙根处栽种着一些攀援类植物。椰类树木的周围也点缀着花草，以增加一点层次感。

　　在较大的空地处植有落叶树，落叶树周围同样覆盖着一年四季都翠绿如滴的花草。

名　　称　馆山景观路北条人行道改造
地　　址　千叶县馆山市
发 包 者　建设省
造园设计　L·A·V 城市设施研究所
造园施工　石胜所
竣　　工　平成 3 年(1991)

一年四季鲜花盛开

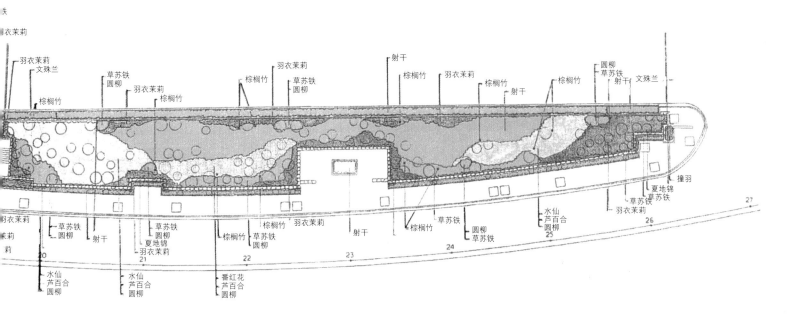

衣茉莉

羽衣茉莉
文殊兰
草苏铁
圆柳
羽衣茉莉
棕榈竹
羽衣茉莉
棕榈竹
羽衣茉莉
草苏铁
圆柳
射干
棕榈竹
羽衣茉莉
棕榈竹
射干
圆柳
草苏铁
棕榈竹
射干
文殊兰
撞羽
夏地锦
草苏铁
草苏铁
羽衣茉莉
水仙
芦百合
圆柳
27
26

羽衣茉莉
茉莉
莉
草苏铁
圆柳
射干
草苏铁
圆柳
夏地锦
羽衣茉莉
棕榈竹
棕榈竹
圆柳
草苏铁
羽衣茉莉
射干
棕榈竹
草苏铁
圆柳
草苏铁
25
24
23
22
21
20

水仙
芦百合
圆柳
水仙
芦百合
圆柳
番红花
芦百合
圆柳

茶座配置在大温室内，直径3m的鲜花吊灯每两分钟旋转一周

# 由鲜花编织的迷人景观

## 常年可观赏到盛开的秋海棠的温室

天城秋海棠花园

小温室中展出的球根秋海棠和
观叶型秋海棠

位于静冈县天城高原的原秋海棠花园自昭和44年（1969）开园以来，成为温泉地伊东的一大胜景，颇受游人欢迎。然而，随着时间的推移，园内展示的内容逐渐不合时宜，且其中设施也日益破朽，近年来，参观者人数大减。花园业主伊豆观光开发株式会社为了重建旧日辉煌，拟增建观赏温室并对园区加以改造。石胜所则受委托承接了这一工程。

温室的设计概念源于天城的旅游观光城市形象，因此，其中的景观配置也力求体现出天城的特点，将其作为一种象征性的景观来加以规划和设计。

秋海棠原产于南美安第斯山系的高原地区，19世纪后半叶传入欧洲，并由欧洲的园艺家进行了改良。将改良后的秋海棠花种引入日本的是伊豆观光开发株式会社的首任社长水野成夫。接任的已故第二任社长五岛曾下过这样的指令："让它一年四季开花！"在植物学家、球根秋海棠的培育者吉江清朗的精心研究和培育下，昭和46年（1971），世界上第一株常年开

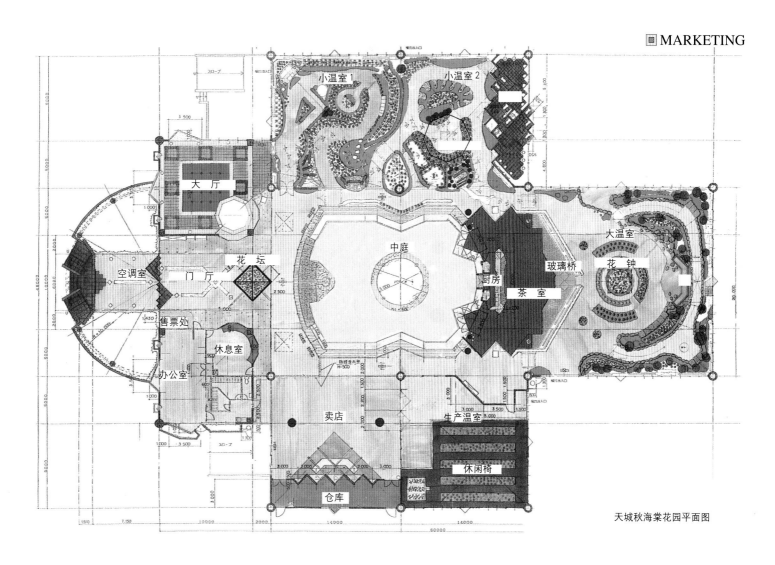

天城秋海棠花园平面图

花的秋海棠诞生了。从此之后，秋海棠便成了公司的象征。

## 温室的规划设计

每年有近 50 万游客来到伊东和伊豆高原。在天城温室花园的规划设计时，主要是以中老年游客为对象，同时也兼顾一部分年轻女性的需要。

由于温室仅展出秋海棠这样单一品种的花卉，在设计上就要千方百计使游客不会感到枯燥和乏味。为此，采用的概念是：让游客亲身感受秋海棠的迷人风采，将温室定位在"体验性植物园"上。游人在自己的五种体感（视觉、嗅觉、听觉、味觉、触觉）和心中的第六感的综合作用下，体验这里的特殊氛围。

**视觉——空间呈现的形态**

要规划好视线投向的顺序

**嗅觉——花香（秋海棠是没有多少香味的，这方面得采取一些措施）**

香味较浓的秋海棠只有一个品种，它被摆在走廊里

**听觉——声音（人造声音，自然声音）**

播放音乐，将来还要将不同的乐曲与不同品种的秋海棠相互搭配

**味觉——味道**

秋海棠花卉可以直接食用，也可做汤

**触觉——可触摸**

这种触摸是间接的，花室中设有瀑布和流水，水珠轻轻溅到花朵上再流入小溪，游人可裸足进入小溪中

**第六感——参观前的某种期待在花室中可能被印证，从而引起一种莫名的冲动**

---

**■ 能呼吸的温室**

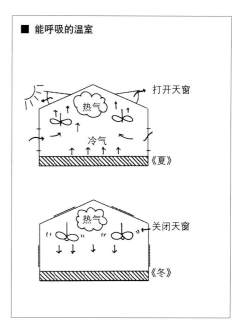

| | |
|---|---|
| 名　　称 | 天城秋海棠花园 |
| 地　　址 | 静冈县伊东市 |
| 开 发 商 | 伊豆观光开发 |
| 发 包 者 | 伊豆观光开发 |
| 建筑设计 | 石胜所 |
| 建筑施工 | 石胜所 |
| 造园设计 | 石胜所 |
| 造园施工 | 石胜所 |
| 规　　模 | 占地面积 1.1hm² |
| 竣　　工 | 平成 5 年 (1993) |

大厅入口，正面是由鲜花组成的雕塑，是温室整体结构的象征

育种温室

以中世纪的宫殿和教堂为原型建造的庭院

商店中出售各种纪念品

饭店大厅

规划实施后关于年轻女性意识的调查

调查概要
1 对　象　20~30 岁的普通女性
2 人　数　280 人
3 方　式　随机
4 回答者　214 人
5 内　容
　　对天城高原和秋海棠花园的印象及其他

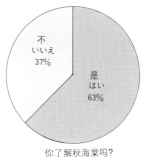

不
いいえ
37%

是
はい
63%

你了解秋海棠吗?

如到欧洲旅行想去哪里

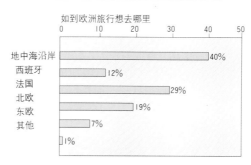

地中海沿岸　40%
西班牙　12%
法国　29%
北欧　19%
东欧　7%
其他　1%

其他
その他
13%

伊東
25%

修善寺
7%

伊豆高原
16%

天城
1%

土肥
4%

下田
16%

白浜
18%

在伊豆你常去哪里?

## 伊东哈维斯特饭店与天城秋海棠花园之间的关联
### 两个项目设计者的谈话　上杉真也　石胜所规划设计师

　　伊东哈维斯特饭店是由东急不动产开发的会员制饭店,专用于住宿。饭店是一座地下 1 层,地上 10 层的建筑。伊东哈维斯特饭店于平成 5 年(1993)6 月建成营业,天城秋海棠花园于同年 10 月开园。它们都位于伊豆地区,且相距甚近,又在同一年开业,这样的巧合让人觉得弥足珍贵。为此,在当地产生很大反响,也成为因地震骚扰而死气沉沉的伊东一带的有趣话题。

　　伊东哈维斯特饭店在设计风格上表现出温泉街的风情,并充分利用了当地的特殊地形,构建了一座东方式的庭园。正面入口处的雕塑,以"成熟的谷物"作为设计概念,有风吹来便会不停地旋转。后院北侧有一处宽阔的水池,水流从石材和不锈钢的柱子上落下。到了夜里,这里变成典型的温泉街景象。

　　从设计者的角度来看,伊东和天城的这两个项目的形象是相互映衬的,两者都是东急公司的开发项目,设计的理念和选用的材料大体上是相同的

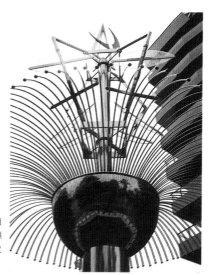

饭店正门处的雕塑,自喷温泉引入其中,稻穗一样的造型会在风的吹动下旋转。

后院北面水池中的雕塑,水从立在水中的 3 根立柱上流出,其中花岗岩的石柱代表现在,六方石柱代表过去,不锈钢柱代表未来。

# 观赏植物的展览规划

## 播撒绿荫的展览技术

东京都梦之岛植物馆

### 规划过程

展览规划每年定 4 个主题，自东京都热带植物馆开馆以来每两年进行一次。展览规划的方案在造园展览业内人士中以招标方式收集，入选者将被委托承担展览和管理工作。然而，直至平成 3 年 (1991)，

石胜所作为应募者之一才得以参加投标，并一举中标，连续参加了平成 3 年 (1991) 第 3 期的展览"地处热带的小笠原和冲绳"和第 4 期的展览"巧克力从哪里来"。

对于造园公司来说，展览设施的安排及其预算是头等重要的事。但是，石胜所的布展工作，在对参展植物的管理和适

合各层次观众群的平易解说等方面，也倾注了大量心血，并获得很高的评价。

平成 5 年 (1993) 第二次参加投标时，石胜所的方案中标。接受委托后，承办了平成 5 年 (1993) 年第 3 期的展览"马达加斯加"和第 4 期的展览"植物中的舶来品"。

以下为展览概况。

塞里亚·罗沙的水彩画（左侧墙面）

山龙眼属植物的集中展览

庭院中的泉州产白花

---

**1** "地处热带的小笠原和冲绳"
1991 年 10 月 8 日~12 月 23 日

小笠原群岛上的植物如同夏威夷群岛和加拉帕戈斯群岛一样，也是独自进化的，其中为该地区仅有的品种占总数的40%。因此，这里生长着许多珍稀物种。展览要突出这一点，并同时介绍有关的动物、自然景观、民间工艺品和当地经济状况等等。

冲绳群岛的展品除了岛上的热带植物外，还展出了当地手工织成的上等麻布和芭蕉布，以及一些红蓝相间的传统工艺品等。同时，也介绍了琉球古典舞蹈和文化经济方面的现状。

## 2 "巧克力来自哪里？"
### 1992 年 1 月 4 日~3 月 29 日

巧克力的主要原料是可可豆。传说可可豆是古代统治墨西哥的印第欧王从神那里接受的馈赠，墨西哥因种植可可豆而变得繁荣和强大，印第欧则把可可豆当做神赐的饮料。

随着印第欧被西班牙征服，可可豆作为战利品传入西班牙。当西班牙的公主玛丽亚·特雷莎嫁给路易十四时，又把它带到法国，随后便在世界上传播开来。

参观者可在展览里一边观看糕点师的现场操作，一边了解巧克力的演变史和其中的文化内涵。

## 3 "马达加斯加"
### 1993 年 11 月 3 日~11 月 28 日

马达加斯加岛上生长的植物约有 180 科 1600 属 12000 种，而且其中的 7 科、全部属的 1/4 和全部种的 85% 均为固有物种。

"马达加斯加"展览得到东京农业大学生物进化研究所的大力协助，他所提供了大量的雨林植物作为展品。除此之外，还送来岛上特有的动物，如变色龙、青蛙等。尤为珍贵的，要算是已经灭绝的巨大隆鸟的骨骼标本。

## 4 "植物中的舶来品"
### 1993 年 12 月 4 日~1994 年 3 月 27 日

全球 75 属 1350 种的山龙眼科植物中，半数以上分布在澳大利亚，1/4 在南非。

这个展览中的展品，都是每月两次从澳大利亚运来的山龙眼科植物。同时，这里还介绍乔塞夫·邦克斯流传于世的版画，他本人曾随同伟大的库克船长一起航海探险。

### 我和桉树　盐野健一郎　石胜所调研员

我和桉树开始打交道是昭和 48 年（1973）的事，当时我正在伊豆大岛公园事务所长任上，为了要把梦之岛改建成公园的事，上司命令我返回东京。

对于东京都江东区的行政当局来说，恨不得一天之内就把公园建起来。因为要改建成公园的梦之岛地区本来是一处垃圾填埋场。

东京都有关部门已经开始在现场试验性地栽种树木，但是由于受到从地下冒出的有害气体的影响，树木发育很不好。为此，我们重新选择了生命力顽强的桉树，桉树即使枝叶枯萎也会生出新芽来。

这时，恰逢上野动物园百年纪念，考拉（树袋熊）成了动物园中的新宠。我从 600 种桉树中挑选出考拉爱吃的几种，于昭和 49 年（1974）4 月，将 16000 株桉树苗栽到梦之岛上。同时，还在位于填埋地的船舶科学馆周围也栽了一部分。不久，树木的叶子开始枯萎，一部分树苗死去。但最终在梦之岛约有 3000 多棵桉树成活下来，其中有皇太子夫妇（现天皇陛下夫妇）栽下的一棵。

活下来的桉树中，最大的高 20m 以上。

作为考拉饲养顾问来日访问的悉尼塔伦加动物园园长 J·L·斯洛普先生曾这样对我说："这里的条件比澳大利亚还要好，一只害虫都见不到。我还要送你们一只雄考拉作种考拉。"

后来，石胜所还在伊豆热川的多摩动物园中栽培了考拉食用型桉树。

# 利用原有树木改造环境的技术

## 机械移植　TPM 作业法

所谓 TPM（Trans Planting Machine）作业法，是指将按照土地整理规划砍伐掉的树木，再通过移植和新植的手段恢复原来的地表植被状况的施工方法。作为石胜所持有的专利技术，曾被广泛地应用于环境改造工程中。

如东急 700 俱乐部入口处的近 100 棵杉树和榉树，以及高尔夫球场内的 3300 棵树木，都是以 TPM 作业法移植成活的。此外，如平成 4 年（1992）7 月昭和公园工程中的银杏树和法国梧桐也采用了同样的作业方法，移植的 120 棵大径成树存活率高达 96%，现在长势良好。

在未来的树木移植作业中，成活率应该被看做是重要的指标。越是粗大的树木，以 TPM 作业法移植所需的时间越短，其工程成本自然也会降低。在住宅区的施工中，大径树木的移植都在朝着机械化作业的方向发展。

TPM 作业与传统的移植方法比较，有如下特点：

①因为将树木根系全部挖出，所以不受树种和时间的限制。

②缩短了从挖掘到植入所需的时间，只要条件允许，可进行临时性作业。

③因根系取出的较完整，成活率也高，不用修剪树冠，也会保持自然树形。

④因移植的都是原来生长在当地的树木，地质和气象条件没有改变，故其成活率接近百分之百。

⑤大径树根周围的小树也可同时随表土被运走，不破坏自然形态。

⑥移动的是体积 3m×3m×1.5m 的巨大土块，保持了表土原状，连表土上的野草和昆虫也可同时搬走，有利于恢复原来的生态环境。

### 挖掘和定植过程

#### 1) 挖掘准备

有条件的话，尽可能在现场剪枝。

根系搬走的比例不少于 80%，将裸露在地面的根条提前拔出，以减轻挖掘地下部分根系的负担。粗根裸露部分涂愈合剂。

#### 2) 根系挖掘

以挖掘机铲头将树根周围土壤疏松，然后将根系掘出，最后对根系作适当的修整。

3) 挖掘后

掘出的根系以水和堆肥混合成的糊状物包裹。

4) 搬运

搬运时尽量减少振动，避免根部的土壤掉落，树干以保护物缠裹，以免碰伤，并固定在叉车上。

5) 植入

植入的坑要宽松，放入根系后，可解开固定树木的布带，让叉车离开树木。

浇水的多少要依土质情况而定，施肥只使用堆肥。

6) 加固

以木杆成三角支撑，使其不会摇动，夏季里还要施放蒸发抑制剂。

7) 植入后

植入后要做的主要是加固、修剪和消毒等工作。

### 采用 TPM 作业法移植树木的项目

| | |
|---|---|
| 东急 700 俱乐部 | 布森度假区 |
| 稻取高尔夫俱乐部 | 冲绳阳光海岸高尔夫球场 |
| 四日市东急高尔夫俱乐部 | 法恩寺山度假区 |
| 小贝川东急高尔夫俱乐部 | 久米南高尔夫球场 |
| 清理滑雪场 | 赞岐万能公园 |
| 福井高尔夫俱乐部 | 八王子新区 |
| 季美森林高尔夫俱乐部 | 昭和纪念公园 |

# 利用城市空地开发的运动场所

## 自然型和人工型

从昭和 50 年 (1975) 代后期起，日本的运动健身场所开始朝着个性化和多样化的方向发展，那种可以表现自我、谁都可以参与其中的大众化运动设施，越来越引起人们的关注。石胜所当时的看法是，高尔夫球场就应该是这样的运动场所。为此，在昭和 60 年 (1985) 建起了最初的铺着人造草坪的自然型娱乐高尔夫球道。迄今为止，类似的球道，石胜所已经修建了 13 条。至昭和 63 年 (1988)，石胜所利用已取得的经验，又开发出人工型娱乐高尔夫球道。

当初之所以选中高尔夫球这个项目，一是石胜所有丰富的构建高尔夫球场的经验；二是高尔夫球道的建设不仅给人们提供了运动场所，也会因此出现一处优美的景观。

与在混凝土地面上铺人工草坪那种永久性的自然型球道不同，人工型球道是一种临时设施，它可以随意地设在城市空地上或高架桥下，用完后可撤去。

相同的是，不管是自然型球道还是人工型球道都偏重于游戏性质，是一种娱乐设施；它们与正规的高尔夫球场不同，人人都可参与，也不需太多的花费。

自 1985 年以后，类似的娱乐高尔夫球道在城市空地上、国铁高架桥下和度假区雨后春笋般地涌现，并受到政府的支持。

### 自然型娱乐高尔夫球场的特点

①不太受地区和地形等条件限制。

②最适合在城市空地辟建。

③工期短。

④所需费用不多。

⑤运动规则与正规高尔夫球比赛接近，但男女老幼均可参与。

静冈金坊高尔夫球道，左下方的矩形场地为人工型球道，其余为自然形球道

滨名湖东急度假区高尔夫球道（自然型）

京叶家庭高尔夫球道（自然型）

### 自然型球道

天城高原高尔夫球道

滨名湖东急度假区高尔夫球道

东急胜浦度假区高尔夫球道

国铁京叶家庭高尔夫球场

### 人工型球道

静冈金坊高尔夫球道

伊豆梅屋高尔夫球道

著作权合同登记图字：01–2001–3262号

**图书在版编目（CIP）数据**

日本造园：石胜造园所代表作品／［日］石胜造园所编委会编；刘云俊译. —北京：中国建筑工业出版社，中国轻工业出版社，2003

ISBN 7–112–05977–1

Ⅰ. 日... Ⅱ.①石...②刘... Ⅲ. 景观–园林设计–作品集–日本 Ⅳ. TU986.2

中国版本图书馆 CIP 数据核字（2003）第 071893 号

书名：《造園時代への先ガけ》
出版社：**マルモ出版**
著者：石勝エクステリア
版权代理：日販アイ・ピー・エス（株）
本书由日本マルモ出版公司授权翻译出版

责任编辑：蒋月芳
责任设计：刘向阳
责任校对：赵明霞

**日本造园**
石胜造园所代表作品

［日］石胜造园所编委会　编
刘云俊　译

＊

中国建筑工业出版社
中国轻工业出版社 出版
新 华 书 店 经 销
北京嘉泰利德公司制作
北京佳信达艺术印刷有限公司印刷

＊

开本：635×965毫米　1/16　印张：12½　字数：387千字
2004年8月第一版　2004年8月第一次印刷
定价：**220.00**元
ISBN 7–112–05977–1
TU·5252（11616）